Sprungbrett

Students' Book

Douglas Bonnyman
Klaus Oberheid

Stanley Thornes (Publishers) Ltd

First published in 1990 by
Stanley Thornes (Publishers) Ltd
Old Station Drive
Leckhampton
CHELTENHAM GL53 0DN

Reprinted 1992

British Library Cataloguing in Publication Data

Bonnyman, Douglas
    Sprungbrett
    Students' Book
    1. German Language, Usage
    I. Title   II. Oberheid, Klaus
    430

    ISBN 0–7487–0489–2

Typeset by Tech-Set, Gateshead, Tyne & Wear.
Printed and bound in Great Britain at The Bath Press, Avon. ·

CONTENTS

Key: L Listening R(NF) Reading non-fiction R(F) Reading fiction R(V) Reading verse S Speaking W Writing G Grammar P Project/research

THE AIMS OF *SPRUNGBRETT*

We have developed *Sprungbrett* over a number of years, drawing on our experience as secondary school language teachers in the UK and Germany. Our principal aim was to enable students to cope with the transition from GCSE/Standard Grade to A-Level/Higher. The material therefore affords scope for revision and consolidation of structures and vocabulary covered at GCSE level, while providing an introduction to more challenging work. The exercises and tasks on all four language skills are based on a variety of texts ranging from newspaper and magazine articles to verse and extracts from prose fiction, and recorded interviews.

There is a progression throughout the book and throughout each of its eight thematically-arranged topics. We have set out to encourage students to become all-round exponents of the German language by increasing their powers of expression while retaining control of structures. In addition to vocabulary and dictionary-based tasks designed to improve language skills and learning practice, role-play, group-work and discussion activities, there are also contextualised grammar exercises. Unless grammar is mastered, there can be no real fluency in the foreign language.

We have tried to make the material as stimulating as possible by selecting items which native German speakers themselves find particularly interesting or even highly controversial. There is a degree of overlap between topics, so that students have the opportunity to bring newly-acquired vocabulary and constructions into play as they move from one topic to the next. Vocabulary items are explained in German, so that students gradually become used to explaining and reformulating in the target language. The dictionary should be used not merely to find out the English equivalent of a German word, but to discover how various German words relate to each other. The ability to deduce or intuit the meaning of the whole from the sum of the parts becomes vitally important as students move on to deal with denser and more abstract language.

The listening items are designed to be used as practice material and contain a wide range of registers and regional accents. Students are required to listen for specific points of detail, make notes in German where appropriate, interpret and/or evaluate a speaker's views, and, where the more difficult passages are concerned, show that they understand the gist.

Boxed letters alongside exercises indicate whether the tasks are intended for individual work, [E] (*Einzelne*), group work, [G] (*Gruppe*) and class work, [K] (*Klasse*).

The symbol ⟨Z⟩ indicates that there are additional grammar exercises, *Zusatzmaterial* in the Teacher's book.

We would like to thank the Modern Languages staff and students of the Edinburgh Academy, the *Luisenschule* (*Mülheim an der Ruhr*), the *Volkshochschule Mülheim* and the *Quickborn Gymnasium II* for helping to produce and pilot the material, the Consulate General of the Federal Republic of Germany, Edinburgh, Kirsten Oberheid for proof-reading and also Stanley Thornes for helping us at every stage of the project.

ACKNOWLEDGEMENTS

The authors and publishers would like to thank the following for permission to reproduce previously published material.

Bertelsmann Verlag for *Freizeit* on page 21, *Die Volkshochschulen* on page 26, *Das Land* on page 116.

Bibliographisches Institut und F.A. Brockhaus AG for definitions listed in the *Gattungszuordnung* on page 52.

Bild am Sonntag for *Was machst du am Wochenende?* on page 20, *Ich bin verkabelt – ein glücklicher Privat-Fernseher* on pages 79–80.

Bild der Frau for *Ich bin glücklich mit einem Ausländer verheiratet* on page 140.

Bio Zeitschrift für Mensch und Natur for *Richtig essen* on pages 55–7, *Alles über die richtige Ernährung* on page 60, *Ökotypen* on page 63, *Weg mit der Kippe* on pages 72–3.

Dr Ulrich Constantin for *Im Auto über Land (Erich Kästner, Atrium Verlag)* on page 105.

DEKRA, Schwacke-Informationsdienst for *Kinder müssen sich auf Zeichen verlassen können* on page 97.

Eltern for *Mein Sturz ins Ozonloch (Claudia Meyn)* on page 48.

Fischer Verlag for *Ballast* on page 3.

Frankfurter Allgemeine Zeitung for *Was ist Fernsehen?* on page 81.

Frankfurter Rundschau for *Massen strömten nach Westen* on page 112, *Die ganze Hymne soll es sein* on page 145.

Walter Helmut Fritz for *Augenblicke* on pages 14–15.

Hör Zu for *Fernsehkritik* on page 90.

jo (AOK-Magazin) for *Lieber reich und gesund* on pages 53–4.

Jugendmagazin (Judendscala) for *Kein Stress im Hotel Mama* on page 1, *Der Preis für den Luxus* on pages 34–5. *Spezialist unter Spezialisten: der Umweltinformatiker* on page 36, *Rauchen macht schlapp* on page 71, *Wann soll man den Führerschein machen?* on page 104, *Deutschland-Klischees* on pages 135–6, *Junge Welt* for *Leistung ist etwas, das Spaß macht* on page 115, *Der einsame Tod eines 'Freiheitskämpfers'* on page 123.

Kiepenheuer und Witsch for *Hier und dort (H.-Günter Wallraff)* on page 125.

Herr Löffler for the letter on pages 67–8.

Luchterhand Verlag for *Der Zuckerfresser (Jens Rehn)* on page 51, *Laßt uns bloß damit in Ruhe! (Gabriele Wohmann)* on page 149.

marco for *Freischwebend unter dem Ballon* on pages 17–18.

Der Minister für Post und Telekommunikation der Bundesrepublik Deutschland for *Kabelfernsehprogramme* on page 85.

Der Minister für Verkehr der Bundesrepublik Deutschland for *Iglu-Autos* on page 99.

Fahrlehrerverband Baden-Württemberg for *Kaum im Auto, schon im 'Schongang'* on page 42.

Ministerium für Arbeit, Gesundheit und Soziales Nordrhein-Westfalen for *Tips für die Freizeit* on page 23.

Moto (Vorsorge-Initiative Deutsche Behindertenhilfe Aktion Sorgenkind e.V.) for *Ich fahr Formel Fair* on pages 93–5, *Blind vor Wut* on page 100, *Ich sehe ihn NIE wieder* on page 101.

Nordpress for *Immer mehr Unfälle: nach der Disco kracht's* on page 77.

Panorama DDR for the extract from *DDR heute* on page 117, *Ziele der Jugendorganisation FDJ* on page 118, *Fragen an einen Arbeiter* on page 119, *Ein Sender für die Jugend* on page 122.

Politische Zeitung for *Das ist Tatsache!* on page 4, *. . . singelt vor sich hin (Birgit Buchner)* on page 6, *Und sonntags ist 'Familienrat'* on pages 7–8, *Noch alle Tassen im Schrank (Enno Bartels)* on page 9, *Die hätten doch früher kommen können (Klaus Borde)* on page 150, *. . . geteilt durch zwei* on page 113.

Quick for *Tempo 130 km* on pages 102–3.

Roderich Reifenrath for *Leben ohne Mauer (Frankfurter Rundschau)* on page 129.

Günther Rüther (Konrad-Adenauer Stiftung) for *Westbild (Lutz Stroppe)* on page 121.

Wolf Jobst Siedler Verlag for the extract from *Von Deutschland Aus (Richard von Weizsäcker)* on page 114.

Der Spiegel for *Umsonst gelitten* on page 64, *'Staatlich formulierte Lügen'* on pages 74–5, *. . . ob nicht der Weg das Ziel ist* on pages 107–8.

Stern for *Wo man für Bildung Schlange steht* on page 27. *Deutschland: bald ein Land ohne Wald?* on page 38, *Widerstand gegen den Mord am Wald* on page 39, *Grundrecht Umweltschutz* on page 49, *An den Badeseen wird es immer enger* on page 45.

Suhrkamp-Verlag for *Das Parkverbot (Jurek Becker)* on pages 110–11.

Walter Verlag for *Die Tochter (Peter Bichsel)* on page 13.

Westdeutsche Allgemeine Zeitung for *Bis '92 gibt es an VHS 1500 Unterrichtsplätze mehr* on page 32, *Warum sie mittags nicht essen* on page 58, *Spannend ist's woanders* on page 87, *Sprechchöre und Plakate mit lockeren Sprüchen* on page 127, *West-Alliierte für volle deutsche Souveränität* on page 132, *Giscard gegen Wiedervereinigung* on page 131, *Die Siegerrechte* on page 133, *Eine Türkin in Deutschland* on page 139.

Westdeutscher Rundfunk for *Programmgrundsätze des Westdeutschen Rundfunks* on page 91.

Rainer E Wicke for *Heimat* on page 137.

Wir in Ost und West for *Kultur pur (Volker Thomas)* on page 144.

Yellow (Das Magazin der Commerzbank) for *Tiere in Not* on page 40.

Die Zeit for *Von der Last, Deutscher zu sein (Rudolf Walter Leonhardt)* on page 142.

We would like to thank the following for permission to reproduce photographs:

Toni Angermayer, page 40; Associated Press, pages 132, 133; *Lorenz Baader Pressefoto*, page 113; *J.H. Darchinger*, page 107; *Die Grünen*, pages 34, 36, 49; *Dr. Hans Halter*, page 64; *Reinhard Janke*, page 39; *jo (AOK Magazin)*, pages 53, 54; *Wolfgang Klawonn*, pages 17, 18; *Kultur, Verlag Zeit im Bild*, page 122; *laenderpress*, pages 1, 6, 71, 135; *Der Minister für Post und Telekommunikation der Bundesrepublik Deutschland*, pages 79, 88; *Panorama DDR*, pages 117, 118; *Brigitte Schumann*, page 109; Greg Smith, pages 5, 59, 100; *Süddeutsche Zeitung*, page 26; *Volkswagen*, page 42; WAZ, pages 84, 129, 146.

We would also like to thank the following for permission to reproduce cartoons and graphics:

Eltern, page 10; *Globus*, pages 43, 70, 106, 120; Fiona Jones for her help to the authors; *Der Minister für Stadtentwicklung, Wohnen und Verkehr des Landes Nordrhein-Westfalen*, page 96; *Uli Olschewski*, page 44; *Klaus Pielert (WAZ)*, pages 112, 130; *Verkehrspädagogischer Pressedienst AG*, page 98; *Shaun Williams*, pages 3, 20, 66, 72, 102; *WRD*, page 91.

Thema 1   Familienleben

Woanders als zu Hause wohnen?

„Ganz schön wunschlos glücklich"

Kein Streß im „Hotel Mama"

Rund 72 Prozent der Jugendlichen meinen, daß nur wenige Erwachsene ihre Probleme verstehen. Von Freunden und Freundinnen lernt man mehr, meinen 58 Prozent. Die Clique wird immer wichtiger. Der Journalist und „Szene"-Spezialist Matthias Horx: „Was früher Schicht, Klasse und Familie waren, ist heute die Generation. Das Kollektiv der Gleichaltrigen gibt nun dem einzelnen Orientierung, schafft psychischen Halt . . ."

Dennoch: Nach den skeptischen 50er Jahren, den rebellischen 60ern, den resignierten 70ern und den wilden 80er Jahren ist heute der Kampf zwischen Eltern und Kindern nicht mehr so hart. Erwachsene, egal ob Eltern oder Lehrer, sind für die Jugendlichen keine Gegner mehr. 86 Prozent halten ihr Verhältnis zu den Eltern für gut oder sehr gut. Der Grund für diese Harmonie liegt in der toleranten Erziehung der Eltern von heute, meinen die Jugend-Forscher. Autoritäre Ideale wie „Gehorsam und Unterordnung" gibt es fast nicht mehr. Daher wollen auch immer weniger Söhne und Töchter eine eigene Wohnung: Bis zum 20. Lebensjahr bleiben 90 Prozent im „Hotel Mama".

Jugendscala, 4/1988 (gekürzt)

Anmerkungen

die Clique	die Gruppe
die Schicht	(ein bürgerlicher Begriff für „Klasse"; er beinhaltet im Gegensatz zum älteren „Stand" die Vorstellung sozialer Mobilität)
psychischen Halt geben	jemanden psychisch stabilisieren
der Gehorsam	die Bereitschaft, Befehlen zu gehorchen, zu tun, was einem geboten wird

Worum geht's?

Aufgabe 1

Welche anderen Gegensätze gibt es im Text?

Ergänze die Tabelle.

Früher	Heute
Schicht, Klasse	Generation
Familie	

Aufgabe 2

1   Was lernte man früher von den Eltern?

2   Was verstehst du unter „Kollektiv der Gleichaltrigen"?

3   Welche Rolle weist der Autor der „Generation" zu?

Übung macht den Meister!

Übung 1

Modalverben

Setze ein passendes <u>Modalverb</u> (*müssen, wollen, nicht brauchen* usw.) in der richtigen Form in die Lücke ein.

1   Junge Leute glauben, daß nur wenige Erwachsene ihre Probleme verstehen _können_ .

2   58 % denken, daß <u>man</u> mehr von Freunden und Freundinnen lernen _kann_.

3   Nach der Meinung von Matthias Horx _kann/soll_ das Kollektiv dem einzelnen Orientierung geben.

4   Jugendliche _____ nicht mehr mit ihren Eltern zu kämpfen.

5   Immer weniger Söhne und Töchter _wollen_ von zu Hause auszuziehen.

6   Sie fragen sich, warum sie allein leben _wollen_ , wenn sie es doch im „Hotel Mama" recht angenehm haben _können_ .

Übung 2

Dativ Plural

Lies den Text noch einmal durch. Achte vor allem auf den Dativ Plural. Ergänze dann die Sätze mit Dativ-Plural-Formen.

1   Jugendliche lernen mehr von ihren _____ als von ihren _____.

2   Jugendliche treffen sich in _____.

3   Wenn sie mit _____ in einer Clique zusammen sind, bekommen sie psychischen Halt.

4   Sie kämpfen heute weder mit ihren _____ noch mit ihren _____.

5   Mit autoritären _____ wie „Gehorsam und Unterordnung" kann man heute nicht viel erreichen.

6   90 % der Jugendlichen sind mit 20 _____ noch zu Hause.

Was sagt ihr dazu?

Was lernt ihr eher von euren Eltern, was eher von Gleichaltrigen?

Legt eine Tabelle an und prüft anschließend die These des Autors zur Bedeutung der Generation.

BALLAST

Selbstverständlich wird sie einmal in einer Kommune leben. Jeder wird nur das tun, was ihm Spaß macht, und jeder wird das, was ihm Spaß macht, für die anderen mittun. Für sie werden andere mit das Brot schneiden (falls es dort keine Brotschneidemaschine geben sollte), mit das Geschirr säubern (falls es dort keine Geschirrspülmaschine geben sollte) und morgens die Bettdecke aus einem spiralförmigen in einen mehr oder weniger rechteckigen Gegenstand zurückverwandeln (falls man dort Wert darauf legen sollte).

Wozu sich also Fertigkeiten aneignen und Reflexe einhämmern, die man später niemals brauchen wird?

Reiner Kunze, *Die wunderbaren Jahre*, Fischer Verlag, 1976

Anmerkungen

die Kommune   *die Wohngemeinschaft, meist von jungen Leuten, entstanden aus Protest gegen Familienleben*

verwandeln   *ändern*

Was steckt dahinter?   E/G/K

1   Warum wird sie einmal in einer Kommune wohnen? Was bedeutet das für ihr Urteil über ihr Leben in der Gegenwart?

2   Stelle gegenüber, was sie in der Kommune für andere tun will und was sie von anderen erwartet. Was fällt auf?

3   Ist die Frage des Erzählers am Schluß ernst gemeint? Was will der Erzähler erreichen?

Das ist Tatsache!

Die folgenden Kurztexte enthalten Information über die Lebensverhältnisse in der BRD. Lies die Information durch, und kreuze die richtige Antwort auf Seite 5 an.

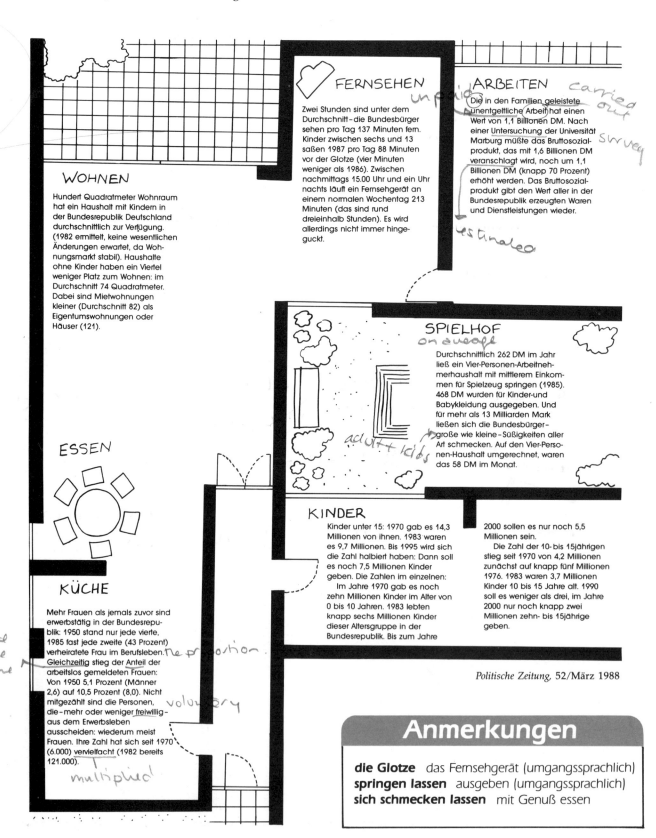

WOHNEN

Hundert Quadratmeter Wohnraum hat ein Haushalt mit Kindern in der Bundesrepublik Deutschland durchschnittlich zur Verfügung. (1982 ermittelt, keine wesentlichen Änderungen erwartet, da Wohnungsmarkt stabil). Haushalte ohne Kinder haben ein Viertel weniger Platz zum Wohnen: im Durchschnitt 74 Quadratmeter. Dabei sind Mietwohnungen kleiner (Durchschnitt 82) als Eigentumswohnungen oder Häuser (121).

ESSEN

KÜCHE

Mehr Frauen als jemals zuvor sind erwerbstätig in der Bundesrepublik: 1950 stand nur jede vierte, 1985 fast jede zweite (43 Prozent) verheiratete Frau im Berufsleben. Gleichzeitig stieg der Anteil der arbeitslos gemeldeten Frauen: Von 1950 5,1 Prozent (Männer 2,6) auf 10,5 Prozent (8,0). Nicht mitgezählt sind die Personen, die – mehr oder weniger freiwillig – aus dem Erwerbsleben ausscheiden: wiederum meist Frauen. Ihre Zahl hat sich seit 1970 (6.000) vervielfacht (1982 bereits 121.000).

FERNSEHEN

Zwei Stunden sind unter dem Durchschnitt – die Bundesbürger sehen pro Tag 137 Minuten fern. Kinder zwischen sechs und 13 saßen 1987 pro Tag 88 Minuten vor der Glotze (vier Minuten weniger als 1986). Zwischen nachmittags 15.00 Uhr und ein Uhr nachts läuft ein Fernsehgerät an einem normalen Wochentag 213 Minuten (das sind rund dreieinhalb Stunden). Es wird allerdings nicht immer hingeguckt.

ARBEITEN

Die in den Familien geleistete unentgeltliche Arbeit hat einen Wert von 1,1 Billionen DM. Nach einer Untersuchung der Universität Marburg müßte das Bruttosozialprodukt, das mit 1,6 Billionen DM veranschlagt wird, noch um 1,1 Billionen DM (knapp 70 Prozent) erhöht werden. Das Bruttosozialprodukt gibt den Wert aller in der Bundesrepublik erzeugten Waren und Dienstleistungen wieder.

SPIELHOF

Durchschnittlich 262 DM im Jahr ließ ein Vier-Personen-Arbeitnehmerhaushalt mit mittlerem Einkommen für Spielzeug springen (1985). 468 DM wurden für Kinder-und Babykleidung ausgegeben. Und für mehr als 13 Milliarden Mark ließen sich die Bundesbürger – große wie kleine – Süßigkeiten aller Art schmecken. Auf den Vier-Personen-Haushalt umgerechnet, waren das 58 DM im Monat.

KINDER

Kinder unter 15: 1970 gab es 14,3 Millionen von ihnen. 1983 waren es 9,7 Millionen. Bis 1995 wird sich die Zahl halbiert haben: Dann soll es noch 7,5 Millionen Kinder geben. Die Zahlen im einzelnen:

Im Jahre 1970 gab es noch zehn Millionen Kinder im Alter von 0 bis 10 Jahren. 1983 lebten knapp sechs Millionen Kinder dieser Altersgruppe in der Bundesrepublik. Bis zum Jahre 2000 sollen es nur noch 5,5 Millionen sein.

Die Zahl der 10- bis 15jährigen stieg seit 1970 von 4,2 Millionen zunächst auf knapp fünf Millionen 1976. 1983 waren 3,7 Millionen Kinder 10 bis 15 Jahre alt. 1990 soll es weniger als drei, im Jahre 2000 nur noch knapp zwei Millionen zehn- bis 15jährige geben.

Politische Zeitung, 52/März 1988

Anmerkungen

die Glotze das Fernsehgerät (umgangssprachlich)
springen lassen ausgeben (umgangssprachlich)
sich schmecken lassen mit Genuß essen

Worum geht's?

owner house.

1 Eigentumswohnungen sind
  - a kleiner als Mietwohnungen.
  - —b größer als Mietwohnungen. *rented*
  - c so groß wie Mietwohnungen.

2 Jede zweite Ehefrau in der BRD ist
  - a arbeitslos.
  - →b berufstätig.
  - c geschieden. *divorced*

3 An einem normalen Wochentag *from*
  - a läuft das Fernsehen ab zwei Uhr.
  - b sieht der Durchschnittsbürger ein-einhalb Stunden fern. *average person.*
  - →c macht man oft etwas anderes, während das Fernsehen läuft.

4 Wenn unbezahlte Hausarbeit berücksichtigt *taken into account* würde, wäre das Bruttosozialprodukt der BRD *gross social product*
  - a geringer.
  - →b deutlich höher. *higher*
  - c gleich.

5 Die Bundesbürger zahlten 1985 13 Milliarden Mark für *billions*
  - a Babykleidung.
  - b Spielzeug.
  - →c Pralinen, Bonbons usw.

6 Im Jahre 2000 soll es *7 coma 5.*
  - a 7,5 Millionen
  - →b 2 Millionen
  - c 4,5 Millionen

  deutsche Kinder zwischen 10 und 15 geben.

7 Im Jahre 1976 gab es
  - a 3,7 Millionen
  - →b 5 Millionen
  - c 4,2 Millionen

  Kinder zwischen 10 und 15 Jahren.

Was sagt ihr dazu? G/K

Vergleiche nun die Wohnverhältnisse in Großbritannien mit denen in der Bundesrepublik. Was ist gleich? Was ist anders?

. . . singelt vor sich hin

Viele Frauen und Männer leben heute allein, nicht weil sie es müssen, sondern weil sie es wollen. Die Ansprüche an Ehe und an ein Familienleben sind gewachsen. Wir wollen Liebe. Wir wollen nicht nur versorgt sein. Und: Was offenbar früher nur Männern gestattet war und nur diese sich vorstellen konnten – auch Frauen haben gelernt, allein zu leben. Ohne Angst. Ohne Frust. Sie fühlen sich wohl dabei. Sie sind lieber allein als zu zweit einsam. Was soviel heißt wie: Schöner als das Alleinsein ist nur die Liebe. Und sie läßt sich nicht zwingen.

Also richten sich immer mehr Männer und Frauen allein ein in ihrem Leben. Singles heißen sie dann, was eine positive Bedeutung haben soll. Früher gab es nur „Junggesellen", was für den Mann kein Nachteil war, weil ihm ein Hauch von Don Juan anhaftete. Es gab daneben die „alten Jungfern", und dieser Ausdruck galt schon für alleinstehende Frauen ab Dreißig. Die waren einfach abgeschrieben.

Das Bekenntnis zum „Single" hat deshalb vor allem Frauen etwas gebracht. Sie können heute allein in ein Lokal, alleine reisen, allein zum Skifahren, sie dürfen sogar alleine zu Gesellschaften, auch wenn dann „das mit den Paaren nicht aufgeht", der Alptraum von Gastgeberinnen früher.

Birgit Buchner, *Politische Zeitung*, 52/März 1988 (gekürzt)

Anmerkungen

die Ansprüche an Ehe und an Familienleben	was man von der Ehe bzw. vom Familienleben erwartet
versorgt sein	materielle Sicherheit haben
gestattet	erlaubt
(galt) gelten	(hier) benutzt werden
Gesellschaften	(hier) Parties, Feiern
nicht aufgehen	(hier) wenn jemand allein übrig bleibt
der Alptraum	ein böser Traum

Worum geht's?

1 Was ist ein „Single"?

2 Was ist das Gegenteil von „Junggeselle"?

3 Was bedeutet das?
   a „Sie sind lieber allein als zu zweit einsam".
   b „Die waren abgeschrieben".
   c „. . . das mit den Paaren nicht aufgeht".

Übung macht den Meister!

Übung 1

Ergänze mit einem Modalverb

1 Viele Leute heiraten, aber einige Männer und Frauen _____ lieber alleine wohnen.

2 Jetzt _____ auch Frauen lernen, ohne Frust und Angst zu leben.

3 „Single" ist ein positiver Ausdruck, er _____ nicht heißen, daß alle Alleinstehenden einfach abgeschrieben sind.

4 „Junggesellen" _____ einen Hauch von Don Juan gehabt haben.

5 „Alte Jungfer" hießen die Frauen, die früher alleine leben _____ .

6 Früher _____ alleinstehende Frauen nicht allein in ein Lokal.

7 Jetzt _____ eine Frau allein zu Gesellschaften gehen.

Übung 2

Dativ ohne Präposition

Beachte den Gebrauch des Dativs ohne Präposition! Bilde sinnvolle Sätze nach dem folgenden Muster

Frauen dürfen (allein leben) ⟶ *Frauen ist es gestattet (allein zu leben).*

1 Kinder dürfen ——.

2 Mädchen dürfen ——.

3 Schüler dürfen ——.

4 Sie dürfen ——.

5 Ihr dürft ——.

6 Wir dürfen ——.

7 Deutsche dürfen ——.

8 Alleinstehende dürfen ——.

9 Rolf darf ——.

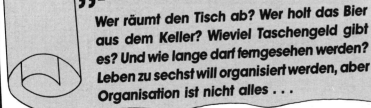

Und sonntags ist „Familienrat"

Wer räumt den Tisch ab? Wer holt das Bier aus dem Keller? Wieviel Taschengeld gibt es? Und wie lange darf ferngesehen werden? Leben zu sechst will organisiert werden, aber Organisation ist nicht alles . . .

Ergebnisprotokoll der Besprechung vom 17. Januar 1988
   Teilnehmer:
   Irmgard Moser-Kentemich, 40, Hanne Kentemich, 18, Benjamin Moser, 10, Christian Moser, 12, Paul Kentemich, 12, Willi Moser-Kentemich, 46 (Protokollant und Alterspräsident).
   Besprechungspunkte:
   1. Taschengeld
   Das Taschengeld wird für Paul und Christian auf DM 16,-- und für Benjamin auf DM 12,-- im Monat festgelegt, zahlbar in zwei Raten, und zwar jeweils die Hälfte zum 1. und 15. eines jeden Monats.
   Vom Taschengeld zu zahlen sind alle Vergnügungen wie Kino, Comics, Bücher, Spielzeug und Videos. Nicht zu bezahlen sind alle Unkosten, die im Zusammenhang mit der Schule entstehen (Hefte, Fahrkarten etc.) und „große" Süßigkeiten.
   2. Gestaltung von Geburtstagsfeiern
   Hierbei sind die Kinder frei, auch in der Frage, ob sie Geschwister und/oder Eltern für beratende Zwecke einschalten wollen; lediglich der Kostenrahmen muß mit den Eltern abgestimmt werden.
   3. Benutzung der Spielsachen anderer
   Alle Jungens sagen den jeweils anderen den großzügigen Umgang mit ihren Spielsachen zu. Allerdings muß immer um Erlaubnis gefragt werden. Bei Nichtanwesenheit des jeweiligen Spielzeugbesitzers können auch die Eltern eine Ausnahmegenehmigung erteilen. Dieser Regelung stimmen Benjamin und Paul zu, Christian behält sich die Freigabe selbst vor.
   4. Küchendienst
   Zum Küchendienst für die drei Jungen zählen die Aufgaben:
   Decken und Abdecken des Tisches (mit Ausnahme des Frühstücks) sowie der Getränkeservice. Der Küchendienst wird im wöchentlichen Rhythmus geleistet, beginnend mit dem Montag und endend mit dem Sonntag. Der jeweilige Küchendienstler hat das Vorrecht, im Zusammenhang mit Irgard das

jeweilige feierliche Sonntagsessen festzulegen.

5. Regeln für das Essen

Gute Tischsitten sind selbstverständlich, notwendige gegenseitige Ermahnungen erfolgen in einem freundlichen Ton.

Von drei angebotenen Essenssachen sind mindestens zwei zu verzehren. Es gilt das Probierprinzip: Das bedeutet, Neues muß unbedingt wenigstens gekostet werden, im Prinzip Abgelehntes muß immer wieder probiert werden.

6. Baden

Sonntag nach dem Frühstück wird gebadet, im Schwimmbad oder in der Badewanne.

7. Sonderaufgaben für Hanne

Hanne ist vom normalen Küchendienst befreit, sie bietet dafür das Essen am Dienstagabend und übernimmt die Verantwortung für das Sonntagsfrühstück. Ansonsten assistiert sie Irmgard bei Küchenaufgaben nach Anforderung und Angebot. Sie ist für das Putzen ihres Zimmers und des unteren Badezimmers zuständig.

8. Fernsehen, Video, Fernsehspiele

Jedes Kind erhält pro Woche zehn Bons: Tagessendungen bis zu 45 Minuten kosten 1 Bon, Spielfilme kosten 2 Bons, 45 Minuten Atari 1 Bon, bei gemeinsamen Spielen mit Atari muß jedes Kind für 30 Min. 1 Bon ausgeben. Maximal sind 3 Bons pro Tag zulässig.

„Sendeschluß" ist um 21.00 Uhr an Tagen vor Schulpflicht, um 22.30 Uhr an Samstagen und anderen Tagen, denen kein Schultag folgt.

Politische Zeitung, 52/März 1988

Anmerkungen

das Ergebnisprotokoll	der Text, in dem die Ergebnisse einer Besprechung festgehalten werden
die Besprechung	das (zielorientierte) Gespräch
der Protokollant	derjenige, der das Protokoll schreibt
die Unkosten	die Kosten (kein Gegensatz)
die Gestaltung	die Form, die Ausführung
frei sein	(hier) entscheiden, bestimmen
der Kostenrahmen	die Gesamtkosten
die Nichtanwesenheit	(Anwesenheit – jemand ist anwesend, wenn er da ist) also wenn der Spielzeugbesitzer nicht da ist
die Genehmigung	die Erlaubnis
im Zusammenhang mit	(eigentlich falscher Ausdruck; gemeint ist:) zusammen mit
die Tischsitten	gutes Benehmen oder Verhalten bei Tisch
der Bon (-s)	der Gutschein, die Wertmarke
der Sendeschluß	(hier) das Ende der Zeit, in der Fernsehen erlaubt ist, (normalerweise) das Ende des Programms an einem Tag

Worum geht's?

Wie könntest du die Ergebnisse, die im Protokoll stehen, mit eigenen Worten wiedergeben? Denke daran, daß hier Modalverben besonders hilfreich sind!
Beispiel: Paul und Christian bekommen DM 16 Taschengeld. Davon müssen sie . . . bezahlen . . .

Was sagt ihr dazu? E/K

1 Wie ist das Zusammenleben in deiner Familie geregelt?

2 Schreibe einem deutschen Freund, was du bzw. die anderen Mitglieder deiner Familie zum gemeinsamen Leben beitragen.

3 Diskutiert, wieviel und welche Beteiligung an den häuslichen Arbeiten ihr für euch richtig findet.

Noch alle Tassen im Schrank?

Es war einmal eine unbegüterte Familie in einer kleinen Stadt irgendwo in Deutschland, Ende der zwanziger Jahre. Meine Familie. Meistens konnte sie den Tag mit der Formel beschließen: Keine besonderen Vorkommnisse! Aber eben nicht immer.

Wie etwa an jenem Sonntag im Herbst, als meine Mutter in der Dämmerung – „immer schön Licht sparen!" – mit einem Tablett voll Geschirr für's Abendessen „halt-los" über die Türschwelle stolperte. Die Mutter blieb heil, aber Teller, Tassen, Schüsseln, die teure Suppenterrine – alles war kaputt und etwas später auch buchstäblich im Eimer. Mutter kamen die Tränen, wir drei Kinder heulten aus Sympathie gleich mit. Nur der Vater blieb wie immer gelassen und stellte

bloß trocken fest: „Nun kann ich Dir doch endlich mal mit Recht nachsagen, daß Du nicht mehr alle Tassen im Schrank hast!" Und schon war alles nur noch halb so schlimm – obwohl es, finanziell gesehen, mehr als nur ein kleines Malheur war. An Barzahlung im Geschirrladen für „anständigen Ersatz" war nicht zu denken. „Hoffentlich gibt Dr. Porz uns Kredit!" seufzte meine Mutter. Unter diesem Titel war der Geschäftsinhaber wegen seiner geschwollenen Ausdrucksweise stadtweit bekannt. Aber hartherzig war er nicht: Es klappte mit den Ratenzahlungen. Nur mußte meine Mutter nun noch häufiger als sonst über ihrem Haushaltsbüchlein brüten – bis irgendwann alles vernarbt und vergessen war.

Enno Bartels, *Politische Zeitung,* 52/März 1988

Anmerkungen

unbegütert	nicht reich
vorkommen	passieren
das Geschirr	Tassen, Teller und Schüsseln
heulen	weinen (umgangssprachlich)
gelassen	ruhig
im Eimer	kaputt (umgangssprachlich)
du hast nicht alle Tassen im Schrank	du spinnst! (umgangssprachlich)
an Barzahlung . . . war nicht zu denken	sie konnte nicht sofort bezahlen
über . . . brüten	lange und angestrengt davor sitzen
in Raten zahlen	Teil eines Gesamtbetrages (meistens monatlich zu entrichten)
es klappte mit den Ratenzahlungen	sie schaffte es, Kredit zu bekommen; das heißt, das Geschirr in Raten bezahlen zu dürfen

Was steckt dahinter? E/K

1   Fasse die Geschichte kurz zusammen.

2   Welche Rollen haben die Familienmitglieder in diesem Text? Vergleiche die Situation mit der in „Und sonntags ist Familienrat".

3   Ist etwas Ähnliches schon einmal bei dir zu Hause passiert? Beschreibe den Vorfall und erzähle, wie deine Familie darauf reagiert hat.

Familienalbum

Von Erich Rauschenbach

Eltern, September 1988

Was sagt ihr dazu? G/K

Wenn euch diese Bildgeschichte gefällt, müßte die darin enthaltene Pointe ein Ziel haben, das ihr erkennt.

1 Worüber beklagen sich eure Bekannten, Verwandten, usw.? Legt Stichwortlisten an!

2 Sucht die Beispiele aus, die ihr besonders komisch findet, und stellt sie eurer Klasse vor.

3 Klärt an einem strittigen Beispiel, ob und wieso es komisch ist.

Woanders
als zu Hause wohnen?

- folgende Räume: .... Zimmer, ... Küche, ... Korridor,
- Diele, ... Bad, ... Toilette mit Dusche,
- .... Kellerraum .... Nr. ....

....

zur Benutzung als Wohnung ....

....

- Die Größe ist mit .... qm vereinbart.
- Mitbenutzt werden dürfen: (z. B. Waschanlagen, Fahrzeugeinstellplätze usw.) ....

....

....

....

2. Der Mieter ist verpflichtet, den Hofraum zum Teppichklopfen, Waschküche und Trockenboden, soweit vorhanden, gemäß der Hausordnung zu benutzen, falls nicht außerhalb des Hauses gewaschen wird.

- 3. Dem Mieter werden für die Mietzeit sofort – beim Einzug folgende Schlüssel ausgehändigt: .... Haus-, ... Korridor-, ... Zimmer-, ... Boden-, ... Keller-, ... Fahrstuhl-, ... Garagen-, ... Hausbriefkasten-Schlüssel.

Falls ein im Besitze des Mieters gewesener Schlüssel verlorengeht oder falls der Mieter beim Auszuge nicht sämtliche Schlüssel, auch diejenigen, welche er etwa selbst hat anfertigen lassen, dem Vermieter sofort abliefert, ist letzterer berechtigt, auf Kosten des Mieters die betreffenden Schlösser und sämtliche dazu vorhandenen Schlüssel verändern, auch Ersatzschlüssel an Stelle der abhanden gekommenen Schlüssel anfertigen, bzw. die Schlösser durch neue ersetzen zu lassen.

4. Benutzung der Mieträume für gewerbliche und berufliche Zwecke bedarf der vorherigen schriftlichen jederzeit widerruflichen Zustimmung des Vermieters und Einholung einer etwa erforderlichen behördlichen Genehmigung. Der Mieter verpflichtet sich, in diesem Fall einen angemessenen, bzw. den preisrechtlich zulässigen Zuschlag zu zahlen.

5. Außerhalb der Mieträume befindliche Wandflächen sind nicht mitvermietet. Nur mit vorheriger Genehmigung des Vermieters darf der Mieter Schilder und dergleichen am vereinbarten Platz anbringen.

§ 2 – Mietzeit und Kündigung

- 1. Das Mietverhältnis beginnt am .... Der Vermieter haftet nicht dafür, daß der Vormieter die Räume rechtzeitig frei macht – bei einem Neubau nicht für die rechtzeitige Fertigstellung der Räume.

- Das Mietverhältnis endet am ....

- Es verlängert sich jeweils um ....

...., wenn eine der

Parteien nicht

- spätestens .... Monate vor Ablauf der Mietzeit der Verlängerung widerspricht.

- Das Mietverhältnis läuft auf unbestimmte Zeit und kann unter Einhaltung einer Frist von einem Monat – zum Ende eines Kalendermonats – gekündigt werden.

2. Der Widerspruch bzw. die Kündigung muß schriftlich erfolgen und dem anderen Vertragspartner spätestens am letzten Werktage vor Beginn der Kündigungsfrist zugegangen sein.

3. Soweit sich der Vermieter gemäß § 564 Abs. 2 BGB nicht auf die vereinbarte Kündigungsfrist berufen kann, gilt auch für den Mieter die für den Vermieter geltende Kündigungsfrist.

4. Unbeschadet der Vereinbarungen nach § 18 kann der Vermieter

Worum geht's?

Höre dir die Abschnitte 1–3 genau an, bearbeite nach jedem Abschnitt die Aufgaben.

Abschnitt 1

1 Während ihrer Schulzeit
   a hat Sonja 200 km vom Wohnort ihrer Eltern entfernt gewohnt.
   b hat Sonja zu Hause bei ihren Eltern gelebt.
   c ist Sonja mit ihren Eltern nach Innsbruck umgezogen.

2 In der Wohngemeinschaft wohnte Sonja
   a mit anderen Studenten.
   b mit einer Freundin.
   c mit Leuten aus verschiedenen Schichten und Berufen.

3 Welche Probleme hatte Sonja in der Wohngemeinschaft?

Abschnitt 2

1 Brigitte
   a war mit 13 Schülerinnen in einem Internat zusammen.
   b zog im Alter von 13 aus dem Elternhaus aus.
   c wollte Nonne werden.

2 Sie hatte
   a viel Freiheit
   b viel Freizeit   } im Internat.
   c eine festgelegte Studierzeit

3 Woran war Brigitte gewöhnt/nicht gewöhnt, als sie das Internat verließ?

Abschnitt 3

1 Sonja wohnt jetzt allein,
   a weil sie lieber im Heim ist.
   b weil sie nicht gern Gesellschaft hat.
   c weil sie Streit mit einer Freundin hatte.
   d weil sie lieber eine eigene Wohnung hat.

2 Brigitte lebt nicht mehr mit ihrer Freundin zusammen,
   a weil es der Freundin nicht mehr gefiel.
   b weil sie sich auf die Nerven gingen.
   c weil sie sich auseinanderentwickelt haben.
   d weil es Brigitte nicht mehr gefiel.

3 Worüber sind Sonja und Brigitte sich jetzt einig?

Erweitere deine Sprach- kenntnisse!

Beim spontanen Sprechen wird nicht immer auf grammatische Regeln geachtet.

Höre dir den ersten Abschnitt der Tonbandauf- nahme noch einmal gut an und achte vor allem auf den Satzbau. Was sagt Sonja? Notiere den genauen Wortlaut.

1 . . . und ich war also sehr unselbständig, weil _____ .

2 Und es war eine sehr interessante Erfahrung, weil _____ .

3 Außerdem war es schwierig, selbständig zu werden, ja, weil _____ .

Was fällt dir auf?

Was sagst du dazu?

Würdest du lieber

1 im Studentenwohnheim wohnen?

2 in einer eigenen Wohnung wohnen?

3 mit einer guten Freundin bzw. mit einem guten Freund eine Wohnung teilen?

4 mit mehreren Leuten (Bekannten) eine Wohnung teilen?

5 zu Hause wohnen, vorausgesetzt, daß du selber über dein Tun und Lassen bestimmen könntest?

Triff deine Entscheidung und erläutere sie deinen Klassenkameraden und Klassenkameradinnen.

Die Tochter

Abends warteten sie auf Monika. Sie arbeitete in der Stadt, die Bahnverbindungen sind schlecht. Sie, er und seine Frau, saßen am Tisch und warteten auf Monika. Seit sie in der Stadt arbeitete, aßen sie erst um halb acht. Früher hatten sie eine Stunde eher gegessen. Jetzt warteten sie täglich eine Stunde am gedeckten Tisch, an ihren Plätzen, der Vater oben, die Mutter auf dem Stuhl nahe der Küchentür, sie warteten vor dem leeren Platz Monikas. Einige Zeit später dann auch vor dem dampfenden Kaffee, vor der Butter, dem Brot, der Marmelade.

Sie war größer gewachsen als sie, sie war auch blonder und hatte die Haut, die feine Haut der Tante Maria. „Sie war immer ein liebes Kind", sagte die Mutter, während sie warteten.

In ihrem Zimmer hatte sie einen Plattenspieler, und sie brachte oft Platten mit aus der Stadt, und sie wußte, wer darauf sang. Sie hatte auch einen Spiegel und verschiedene Fläschchen und Döschen, einen Hocker aus marokkanischem Leder, eine Schachtel Zigaretten.

Der Vater holte sich seine Lohntüte auch bei einem Bürofräulein. Er sah dann die vielen Stempel auf einem Gestell, bestaunte das sanfte Geräusch der Rechenmaschine, die blondierten Haare des Fräuleins, sie sagte freundlich „Bitte schön", wenn er sich bedankte.

Über Mittag blieb Monika in der Stadt, sie aß eine Kleinigkeit, wie sie sagte, in einem Tearoom. Sie war dann ein Fräulein, das in Tearooms lächelnd Zigaretten raucht.

Oft fragten sie sie, was sie alles getan habe in der Stadt, im Büro. Sie wußte aber nichts zu sagen.

Dann versuchten sie wenigstens, sich genau vorzustellen, wie sie beiläufig in der Bahn ihr rotes Etui mit dem Abonnement aufschlägt und vorweist, wie sie den Bahnsteig entlanggeht, wie sie sich auf dem Weg ins Büro angeregt mit Freundinnen unterhält, wie sie den Gruß eines Herrn lächelnd erwidert.

Und dann stellten sie sich mehrmals vor in dieser Stunde, wie sie heimkommt, die Tasche und ein Modejournal unter dem Arm, ihr Parfum; stellten sich vor, wie sie sich an ihren Platz setzt, wie sie dann zusammen essen würden.

Bald wird sie sich in der Stadt ein Zimmer nehmen, das wußten sie, und daß sie dann wieder um halb sieben essen würden, daß der Vater nach der Arbeit wieder seine Zeitung lesen würde, daß es dann kein Zimmer mehr mit Plattenspieler gäbe, keine Stunde des Wartens mehr. Auf dem Schrank stand eine Vase aus blauem schwedischem Glas, eine Vase aus der Stadt, ein Geschenkvorschlag aus dem Modejournal.

„Sie ist wie deine Schwester", sagte die Frau, „sie hat das alles von deiner Schwester. Erinnerst du dich, wie schön deine Schwester singen konnte."

„Andere Mädchen rauchen auch", sagte die Mutter.

„Ja", sagte er, „das habe ich auch gesagt."

„Ihre Freundin hat kürzlich geheiratet", sagte die Mutter.

Sie wird auch heiraten, dachte er, sie wird in der Stadt wohnen. Kürzlich hatte er Monika gebeten: „Sag mal etwas auf französisch."

„Ja", hatte die Mutter wiederholt, „sag mal etwas auf französisch."

Sie wußte aber nichts zu sagen.

Stenografieren kann sie auch, dachte er jetzt. „Für uns wäre das zu schwer", sagten sie oft zueinander.

Dann stellte die Mutter den Kaffee auf den Tisch. „Ich habe den Zug gehört", sagte sie.

Peter Bichsel, *Eigentlich möchte Frau Blum den Milchmann kennenlernen,* Walter Verlag, 1980

Anmerkungen

der Hocker	der kleine Stuhl
(die Lohntüte) der Lohn	das Geld, das (meistens) für körperlich verrichtete Arbeit bezahlt wird
das Etui	ein schützender Behälter für Brille, Zigaretten, usw.

Worum geht's?

1 Mache ein Porträt von Monika.
Berücksichtige . . .
Wohnort
Hobbies
Beruf
Schicht
Aussehen
Eigenschaften.

2 Zitiere die Sätze, aus denen hervorgeht,
a daß die Familie nicht in der Stadt wohnt.
b daß der Vater Arbeiter und kein Angestellter ist.
c daß die Eltern Monika für ein freundliches Mädchen halten.

Was steckt dahinter?

1 Wie ist das Verhältnis zwischen Monika und ihren Eltern? Kannst du deine Auffassung begründen?

2 Stelle dir vor, daß Monika bei einer Freundin eingeladen ist. Sie beschreibt ihre Eltern. Schreibe den Dialog zwischen ihr und ihrer Freundin.

3 Wie gefällt dir die Geschichte?

4 Sind dir die Figuren sympathisch?

5 Wie wird sich das Verhältnis der Personen zueinander weiterentwickeln?

6 Schlage eine andere mögliche Fortsetzung vor. Welche der Möglichkeiten hältst du für wünschenswert?

Augenblicke

Kaum stand sie vor dem Spiegel im Badezimmer, um sich herzurichten, als ihre Mutter aus dem Zimmer nebenan zu ihr hereinkam, unter dem Vorwand, sie wolle sich nur die Hände waschen.

Also doch! Wie immer, wie *fast* immer.

Elsas Mund krampfte sich zusammen. Ihre Finger spannten sich. Ihre Augen wurden schmal. Ruhig bleiben!

Sie hatte darauf gewartet, daß ihre Mutter auch dieses Mal hereinkommen würde, voller Behutsamkeit, mit jener scheinbaren Zurückhaltung, die durch ihre Aufdringlichkeit die Nerven freilegt. Sie hatte – behext, entsetzt, gepeinigt – darauf gewartet, weil sie sich davor fürchtete.

– Komm, ich mach dir Platz, sagte sie zu ihrer Mutter und lächelte ihr zu.

– Nein, bleib nur hier, ich bin gleich soweit, antwortete die Mutter und lächelte.

– Aber es ist doch so eng, sagte Elsa, und ging rasch hinaus, über den Flur, in ihr Zimmer. Sie behielt einige Augenblicke länger als nötig die Klinke in der Hand, wie um die Tür mit Gewalt zuzuhalten. Sie ging auf und ab, von der Tür zum Fenster, vom Fenster zur Tür. Vorsichtig öffnete ihre Mutter. Ich bin schon fertig, sagte sie.

Elsa tat, als ob ihr inzwischen etwas anderes eingefallen wäre, und machte sich an ihrem Tisch zu schaffen.

– Du kannst weitermachen, sagte die Mutter.

– Ja, gleich.

Die Mutter nahm die Verzweiflung ihrer Tochter nicht einmal als Ungeduld wahr.

Wenig später allerdings verließ Elsa das Haus, ohne ihrer Mutter adieu zu sagen. Mit der Tram fuhr sie in die Stadt, in die Gegend der Post. Dort sollte es eine Wohnungsvermittlung geben, hatte sie einmal gehört. Sie hätte zu Hause im Telefonbuch eine Adresse nachsehen können. Sie hatte nicht daran gedacht, als sie die Treppen hinuntergeeilt war.

In einem Geschäft für Haushaltungsgegenstände fragte sie, ob es in der Nähe nicht eine Wohnungsvermittlung gebe. Man bedauerte. Sie fragte in der Apotheke, bekam eine ungenaue Auskunft. Vielleicht im nächsten Haus. Dort läutete sie. Schilder einer Abendzeitung, einer Reisegesellschaft, einer Kohlenfirma. Sie läutete umsonst.

Es war später Nachmittag, Samstag, zweiundzwanzigster Dezember.

Sie sah in eine Bar hinein. Sie sah den Menschen nach, die vorbeigingen. Sie trieb mit. Sie betrachtete Kinoreklamen.

Sie ging Stunden umher. Sie würde erst spät zurückkehren. Ihre Mutter würde zu Bett gegangen sein. Sie würde ihr nicht mehr gute Nacht sagen brauchen.

Sie würde sich, gleich nach Weihnachten, eine Wohnung nehmen. Sie war zwanzig Jahre alt und verdiente. Kein einziges Mal würde sie sich mehr beherrschen können, wenn ihre Mutter zu ihr ins Bad kommen würde, wenn sie sich schminkte. Kein einziges Mal.

Ihre Mutter lebte seit dem Tod ihres Mannes allein. Oft empfand sie Langeweile. Sie wollte mit ihrer Tochter sprechen. Weil sich die Gelegenheit selten ergab (Elsa schützte Arbeit vor), suchte sie sie auf dem Flur zu erreichen oder wenn sie im Bad zu tun hatte. Sie liebte Elsa. Sie verwöhnte sie. Aber sie, Elsa, würde kein einziges Mal mehr ruhig bleiben können, wenn sie wieder zu ihr ins Bad käme.

Elsa floh.

Über der Straße künstliche, blau, rot, gelb erleuchtete Sterne. Sie spürte Zuneigung zu den vielen Leuten, zwischen denen sie ging.

Als sie kurz vor Mitternacht zurückkehrte, war es still in der Wohnung. Sie ging in ihr Zimmer, und es blieb still. Sie dachte daran, daß ihre Mutter alt und oft krank war. Sie kauerte sich in ihren Sessel, und sie hätte unartikuliert schreien mögen, in die Nacht mit ihrer entsetzlichen Gelassenheit.

Walter Helmut Fritz, *Umwege*

Anmerkungen

der Vorwand (¨-e)	der falsche Grund
(die Behutsamkeit) behutsam	sanft, vorsichtig
die Wohnungsvermittlung	eine Wohnungsagentur
sich herrichten	sich schminken und kämmen
sich beherrschen	sein Verhalten kontrollieren, keine Gefühle zeigen
vorschützen	zum Schutz angeben
sich kauern	sich hinsetzen und dabei alle Glieder (Extremitäten) nahe an den Körper (Rumpf) ziehen
scheinbar	dem Schein nach, nicht wirklich (dagegen: „anscheinend" – soweit man sehen bzw. beurteilen kann)

Worum geht's?

1   Teile den Text in drei Hauptabschnitte ein.
    Gib stichwortartig den Inhalt der drei Teile an.

Abschnitt	Personen	Schauplatz	Zeitpunkt	Handlung
1				
2				
3				

2   Notiere die Stellen, die beweisen, daß Elsa nicht gern zu Hause wohnt.
3   Sammle die Ausdrücke im Text, welche Elsas Lage am genauesten beschreiben.
    Vergleiche „Augenblicke" und „Die Tochter"
4   Aus welcher Perspektive werden die Geschichten erzählt?
5   Siehst du Gemeinsamkeiten zwischen den Texten?
6   Beide Texte handeln von jungen Mädchen. Sind die Texte deshalb für männliche
    Jugendliche ohne Bedeutung?

Erweitere deine Sprachkenntnisse!

Suche für die folgenden englischen Ausdrücke die deutschen Entsprechungen im Text
1   to spruce herself up
2   I'll be finished in a minute
3   . . . pretended that something else has occurred to her in the meantime
4   the daughter's despair didn't even register with her mother as impatience
5   she wouldn't be able to control herself if her mother came into the bathroom once again
6   with its dreadful calm.

Was steckt dahinter?

1   Suche die Ausdrücke im Text, die
    a   das Verhalten }
    b   die Motive   }   der Mutter beschreiben.

Was sagst du dazu?

1   „Die Familie ist immer noch die beste aller Lebensformen." Nimm zu dieser These
    Stellung.
2   „Familie? Die gibt's schon lange nicht mehr, und heute ist sie überhaupt unzeitgemäß."
    (Karl-Heinz Kirchner.) Teilst du diese Meinung?
3   „Die Generationen leben nicht mehr miteinander, sondern nebeneinander, gleichsam auf
    Inseln. Werte und Erfahrung, Kultur und Lebenseinstellung werden kaum noch von
    unsicher gewordenen Eltern an Kinder, sondern mit Erziehung beauftragten Institutionen
    an Kinder weitergegeben." (Volker Thomas, *Politische Zeitung* 52/März 1988) Inwiefern
    haben Schulen und andere Institutionen die Aufgabe der Eltern übernommen? Wie
    beurteilst du diese Entwicklung?

Thema 2   Freizeit und Weiterbildung

Feierabend-freischwebend?

FREISCHWEBEND UNTER DEM BALLON

»ÜBER DEN WOLKEN MUSS DIE FREIHEIT WOHL GRENZENLOS SEIN«

singt Hobby-Flieger Reinhard Mey. Nun, für Ballonfahrer beginnt die Freiheit schon weit unterhalb der Wolkengrenze: In luftiger Höhe von 160 bis 350 Metern macht die Reise über Wald und Wiesen, Städte und Dörfer am meisten Spaß. Neben der »Montgolfiade«, die alljährlich in Münster/Westfalen stattfindet, ist das Ballon-Festival in Aachen das größte Treffen von Heißluftballon-Fans aus ganz Europa. Ballon fahren ist auch immer noch ein Abenteuer erster Güte. Und neuerdings gibt es Piloten, die dabei sogar auf den Korb unterm Ballon verzichten.

In aller Herrgottsfrühe werden auf Gut Entenpfuhl die Ballonhüllen ausgerollt. Wo jetzt noch graue Nebelschwaden das Bild kontrastlos erscheinen lassen, wird gegen sieben Uhr der erste Ballon abheben. »Fuchsjagd« heißt der Spaß, der dann folgt: Nicht weniger als 18 Heißluftballon-Teams werden versuchen, den »Fuchs« zu fangen. Sieger ist der Ballon-Pilot, der in nächster Nähe des vorausgeeilten Ballons landet.

FEUER, ÜBERALL FEUER!

Das Propan-/Metangasgemisch läßt meterhohe Flammen in die Ballonhülle züngeln. Immer mehr bläht sich die Kugel auf. Alle sechs Passagiere haben ihren Platz im recht engen Weidenkorb eingenommen. Und schon geht's los. Wir gewinnen schnell an Höhe. Ein erhebendes Gefühl. Ohne Hektik dahinschweben, sich treiben lassen, den Horizont erweitern, Überblick gewinnen. Wenn nicht gerade ein Feuerstoß die Luft in der prallen Hülle erneut aufheizt, herrscht absolute Ruhe. Ballonfahrer reden nicht viel – sie genießen.

IM GESTARTETEN FELD DER 18 BALLONS

aus sechs Ländern ist unser Team um Pilot Hans Büker (48) die Nr. 17. Aber bei diesem Sport kann auch der Vorletzte noch gewinnen. Und tatsächlich: Unser Ballon setzt punktgenau neben dem »Fuchs« auf. Hans Büker, der erfahrene Pilot, hat es wieder mal geschafft.

Nach der Fuchsjagd gibt Christian Büker (21), Sohn unseres erfolgreichen Piloten, noch eine Sondervorstellung seines Könnens: Die Schaulustigen staunen nicht schlecht, als er sich eine Mini-Propan-/ Methangasflasche umschnallt und dann mit seinem Ballon abhebt – ohne Korb. »One Man Ballooning« wird diese neue Variante des Ballonfahrens genannt. »Nur etwas für tollkühne Männer?«, frage ich später Christan Büker. »Ach was«, meint er kopfschüttelnd, »das ist alles halb so wild – man muß sich bei einer unsanften Landung nur richtig abrollen können.«

BALLONFAHRER

müssen selbstverständlich – wie Piloten – eine Prüfung ablegen, bevor sie die Wolken stürmen dürfen. Christian Büker hat den Ballonfahrerschein bereits mit 18 Jahren gemacht – noch vor dem Autoführerschein. Kein Wunder: Vater Hans Büker ist schon vor 25 Jahren unter die Ballonfahrer gegangen – und hat die Welt vom Korb aus gesehen. Mehr als 30 Alpenüberquerungen sowie abenteuerliche Fahrten in Spanien, Irland, Ungarn, Südfrankreich, Südafrika und an der Ostküste der USA haben ihn zu einem der erfahrensten Ballonfahrer Europas gemacht. Im heimatlichen Gstaad (Berner Oberland/Schweiz) trifft man ihn immer seltener an – weil er mit dem Ballon überall auf der Welt zu Hause ist!

Christian Büker hatte übrigens vor seiner ersten Ballonfahrt schon einen anderen Sport ausprobiert: Fallschirmspringen. »Das war zwar auch nicht schlecht, aber irgendwie ging es mir zu schnell!« Der freie Fall lag dem damals 17jährigen nicht so sehr. Beim »One Man Ballooning« schwebt er ganz allein auf sich gestellt 50 Minuten über Land und Leute hinweg. Sicherlich eine der aufregendsten und schönsten Formen des Reisens.

marco, April 1988

Anmerkungen

die Montgolfiade	zusammengesetzt aus „Montgolfier" und „Olympiade". Die „Montgolfiere" ist der Heißluftballon, benannt nach seinen Erfindern, den Brüdern Montgolfier
das Gut	das Landgut, großer landwirtschaftlicher Betrieb (früher meist im Besitz von Adligen)
die „Fuchsjagd"	eine Ballonwettfahrt mit besonderen Regeln, die sich an denen der Jagd auf Füchse orientieren
Flammen züngeln	Flammen bewegen sich wie (Schlangen)-Zungen
der Feuerstoß	eine kräftige Flamme, meist mit Gas gespeist, das aus einem Druckbehälter kommt

Worum geht's?

Lies den Text aufmerksam durch. Suche anschließend unten die jeweils zutreffende Aussage.

1 Ballonfahrer fliegen meist
   a über den Wolken.
   b in einer Höhe von 160 bis 350 Metern.
   c höher als Fallschirmspringer.

2 Ballonfahren ist ein Sport für
   a Leute, die in Ruhe genießen.
   b tollkühne Männer.
   c jeden, der einen Führerschein hat.

3 Ballons werden gefüllt mit
   a einem Propan-/Methangasgemisch.
   b heißer Luft.
   c Entenflaum.

4 Heißluftballons fliegen
   a in ganz Europa und Nordamerika.
   b meist über die Alpen, besonders vom Berner Oberland aus.
   c meist in Münster und Aachen.

5 Ein Ballonfahrer darf abheben, wenn er
   a eine Prüfung abgelegt hat.
   b Fallschirmspringen kann.
   c mindestens 40 Minuten ohne Korb fliegen kann.

6 Fuchsjagd ist eine Form der Ballonfahrt, bei der derjenige gewinnt, der
   a als erster am Ziel eintrifft.
   b als erster einen Fuchs sieht.
   c in der kürzesten Entfernung von einem vorausgeeilten Ballon landet.

Erweitere deine Sprach-kenntnisse!

Aufgabe 1

Suche Satzteile mit Präpositionen, die folgenden englischen Ausdrücken entsprechen:

1 below cloud level

2 from all over Europe

3 at the crack of dawn

4 closest

5 on the east coast

6 all over the world.

Aufgabe 2

Wie kann man das anders sagen?

1 Alle sechs Passagiere haben ihren Platz eingenommen

2 erneut

3 gewinnen schnell . . . an Höhe

3 die Schaulustigen

5 halb so wild

6 Hans Büker ist . . . unter die Ballonfahrer gegangen

7 Der freie Fall lag dem damals 17jährigen nicht so sehr.

Aufgabe 3

Mache eine Liste der schönsten Aspekte dieses Hobbys.

Übung macht den Meister!

Präpositionen

Welche Präposition paßt? Ergänze die Sätze.

Beispiel: Aus sechs Ländern ist unser Team.

1 _____ 18 Jahren hat Christian Büker den Ballonfahrerschein gemacht.

2 _____ Wiesen und Städte geht die Reise.

3 _____ 25 Jahren ist Hans Büker unter die Ballonfahrer gegangen.

4 _____ Korb hebt Christian ab.

5 _____ einer unsanften Landung muß man sich nur richtig abrollen können.

6 _____ diesem Sport kann auch der Vorletzte gewinnen.

Was sagt ihr dazu? K

1 Inwiefern ist Ballonfahren ein Abenteuer?

2 Kennst du ein Hobby oder hast du ein Hobby, das man als Abenteuer bezeichnen kann?

Junge Leute heute

Was machst du am Wochenende?

Auf ins „Zeppelin"

Katja (16), Schülerin aus Hamburg: „Ich geh' ins 'Zeppelin', das ist eine Riesendisco, für 5000 Mann. Ich bin fast jedes Wochenende unterwegs. Zu Hause fühle ich mich einsam. Zum Glück passiert das nicht so oft!"

Stricken oder Kino

Andrea (19), Rechtsanwalt- und Notargehilfin aus Bielefeld: „Am Wochenende hab' ich 'ne Einladung: Fete. Riesig! Fast immer treffe ich mich mit meinem Freund, wir besuchen Bekannte, gehen essen oder ins Kino. Mal allein sein? Find' ich gar nicht schlimm: Ich stricke, nähe, tu mal was für die Schule oder sitze vor dem Fernseher."

Durch die Stadt

Jojo (15) aus Berlin: „Meistens ziehe ich mit meinen Freunden durch die Stadt, und wir unternehmen etwas ganz Tolles. Von meinen Eltern lasse ich mir nicht vorschreiben, was ich an meinem Wochenende zu tun oder zu lassen habe."

Ab zur Freundin

Michael (19), Wehrpflichtiger aus Münster: „Ich besuche meine Freundin, bleibe vielleicht bei ihr, abends gehen wir in die Disco."

Nie zu Hause

Daniel (16) aus Hamburg: „Ich habe letztes Jahr kein Wochenende zu Hause verbracht! Bin immer mit Freunden los!"

Freunde treffen

Tim und Götz (beide 16), Schüler aus Ammersbeck: „Das ist total ätzend, wenn am Wochenende nichts los ist. Wir wollen immer raus, Freunde treffen, was losmachen!"

Auf die Piste

Cathrin (17), Schülerin aus Neugraben: „Ich jobbe Freitag und Samstag, hab' also wenig Zeit. Abends gehe ich mit Freunden auf die Piste. Etwa einmal im Monat gönne ich mir ein Gammelwochenende nur mit mir. Das brauche ich."

Fete und Disco

Bianca (17), Schülerin aus Hamburg: „Ich gehe auf eine Fete, vielleicht in die Disco. Habe ich nichts vor, dann bin ich unheimlich sauer und genervt."

Zwei Tage Nordsee

Tatjana (17), Schülerin aus Ovelgönne: „Ich will mit meiner Freundin eine Zwei-Tage-Tour an die Nordsee machen. Einsam fühle ich mich nur während der Woche, wenn ich abends allein zu Hause sitzen muß."

Einmal ausflippen

Ulrike (19), Studentin aus München: „Eine Freundin aus Hamburg kommt, die ich lange nicht gesehen habe. Wir wollen kochen, spazierengehen, irgendwas Ausgeflipptes machen. Eigentlich habe ich immer was vor."

Bild am Sonntag, 3.11.85

Anmerkungen

unterwegs	weg von zu Hause
etwas ganz Tolles	etwas sehr Ungewöhnliches, etwas Reizvolles
total ätzend	völlig langweilig (umgangssprachlich)
etwas losmachen	für Unterhaltung sorgen (umgangssprachlich)
auf die Piste gehen	(hier) ausgehen (umgangssprachlich)
(das Gammelwochenende) gammeln	nichts tun, faulenzen (umgangssprachlich)
ausflippen	etwas Verrücktes tun (umgangssprachlich)

Was sagt ihr dazu?

1 Welche Aussage entspricht deiner Vorstellung von einem idealen Wochenende am meisten, welche am wenigsten?

2 Kreuze an, mit welchen der angegebenen Adjektive sich die von dir gewählten Personen charakterisieren lassen:

aufgeschlossen   kontaktfreudig
unternehmungslustig   freundlich
aggressiv   schwierig
gemütlich   sympathisch
gesellig   sensibel.
schüchtern

3 Vergleicht und diskutiert eure Ergebnisse zu 1 und 2 in der Klasse.

Fragebogen

Bearbeitet den folgenden Fragebogen, und wertet ihn in der Klasse aus. (Notiert zur Vereinfachung nur die jeweils treffendste Antwort).

1 Mit wem gehst du am liebsten aus?
     a   mit Freunden
     b   allein
     c   mit der Familie

2 Wie oft gehst du aus?
     a   täglich
     b   zwei- bis dreimal pro Woche
     c   am Wochenende
     d   selten, unregelmäßig

3 Was tust du, wenn du nach den normalen Tätigkeiten des Tages zu Hause bist?
     a   Musik hören
     b   fernsehen
     c   lesen
     d   gammeln
     e   einem Hobby nachgehen (welchem?)

4 Was denkst du, wenn Klassenkameraden ausgehen, du aber zu Hause bleibst?
     a   Ich bin neidisch und ärgerlich.
     b   Ich ziehe andere Beschäftigungen vor.
     c   Ich habe kein Geld, dauernd auszugehen.
     d   Ich langweile mich in Discos.

Auswertung

Schreibt einen kurzen informativen Text zum Freizeitverhalten eurer Klasse. Verwendet die Ergebnisse der Fragebogenauswertung.

FREIZEIT

Noch um die Jahrhundertwende gab es für Berufstätige »freie Zeit«, die nicht durch Arbeit, Schlaf oder lebensnotwendige Verrichtungen beansprucht wurde, so gut wie gar nicht. Mit der Verkürzung der Arbeitszeit ist der Anteil frei verfügbarer Zeit seither ständig gewachsen. Nach dem Zweiten Weltkrieg stieg der Durchschnittswert der täglichen Freizeit der Berufstätigen in der Bundesrepublik von zweieinhalb Stunden (1952) auf fast vier Stunden (1980). Sie ist heute so umfangreich, daß bereits das Schlagwort von der »Freizeitgesellschaft« auftauchte.

Damit sind aber auch Gefahren verbunden, denn die verfügbare Freizeit verleitet viele zu einer Zusatzbeschäftigung, die wiederum zu Lasten der notwendigen Erholung geht. Manche finden von sich aus nicht den Weg zu einer vernünftigen Freizeitgestaltung. Deshalb bemühen sich zahlreiche staatliche, kirchliche und kommunale Institutionen sowie Vereine und Verbände, der Bevölkerung »Freizeitangebote« zu machen. Dazu gehören Sportplätze, Schwimmhallen, Freibäder, Büchereien, Volkshochschulkurse, wissenschaftliche und musische Zirkel und vieles andere. Die Wirtschaft hat schnell den sich bietenden Markt erkannt; eine regelrechte »Freizeitindustrie« ist entstanden. Die Freizeitausgaben sind von 12% des privaten Verbrauchs (1970) auf 17% (1982) gestiegen; es wird erwartet, daß der Bürger der Bundesrepublik 1985 rund 21% seiner privaten Ausgaben für die Freizeitgestaltung aufwendet. Mehr und mehr wird die Freizeit auch zum Gegenstand wissenschaftlicher Forschung; an einigen Hochschulen gibt es bereits das Studienfach »Freizeitpädagogik«.

Tatsachen über Deutschland, Bertelsmann Verlag, 1985 (gekürzt)

Anmerkungen

der Berufstätige	ein Mensch, der einen Beruf hat, also regelmäßig arbeitet
die lebensnotwendige Verrichtung	gemeint sind: das Essen, das Waschen usw.
die frei verfügbare Zeit	die Zeit, in der man nicht arbeiten muß
der Durchschnittswert der täglichen Freizeit	die Menge Freizeit, die der typische Berufstätige hat
umfangreich	zahlenmäßig groß
auftauchen	erscheinen, (hier) benutzt werden
verleiten	auf einen falschen, gefährlichen Weg führen
die Zusatzbeschäftigung	die zweite Berufstätigkeit
die kommunale Institution	eine Institution, die zu einer Gemeinde (Stadt oder Landkreis) gehört
für etwas aufwenden	Geld für etwas ausgeben

Erweitere deine Sprachkenntnisse!

Ordnet die Begriffe den Definitionen zu:

1	Freizeitgesellschaft	a	Die Veranstaltungen, mit denen man seine Freizeit sinnvoll gestalten kann.
2	Freizeitangebote	b	Das Geld, das für die Gestaltung der Freizeit verwendet wird.
3	Freizeitausgaben	c	Eine Forschungsrichtung, die Freizeitverhalten analysiert und darauf abzielt, sinnvolle Freizeitgestaltung zu lehren.
4	Freizeitindustrie	d	Eine Branche der Wirtschaft, die Produkte für die Benutzung in der Freizeit herstellt.
5	Freizeitpädagogik	e	Eine Form des menschlichen Zusammenlebens, in der die Freizeit die wichtigste Rolle spielt.

Worum geht's?

Welche der folgenden Aussagen treffen zu, welche sind falsch? Korrigiere die falschen.

1 Noch um die Jahrhundertwende hatten Berufstätige kaum Freizeit.

2 Erst die Arbeitszeitverkürzungen nach dem Ersten Weltkrieg ließen den Berufstätigen nennenswerte Freizeit.

3 Zwischen 1952 und 1980 stieg die durchschnittliche tägliche Freizeit in der Bundesrepublik um das Vielfache.

4 Die „Freizeitgesellschaft" verleitet viele, Zusatzbeschäftigungen aufzunehmen.

5 Die notwendige Erholung wird heute von vielen Institutionen angeboten.

6 Die Ausgaben für die Freizeit sind in der BRD seit 1970 von 12 % auf 17 % gestiegen.

7 1990 wird jeder Bundesbürger etwa ein Fünftel seiner privaten Ausgaben für die Freizeitgestaltung aufwenden.

8 An einigen Hochschulen wird bereits wissenschaftlich erforscht, ob sich mit „Freizeitpädagogik" der wirtschaftliche Umsatz weiter steigern läßt.

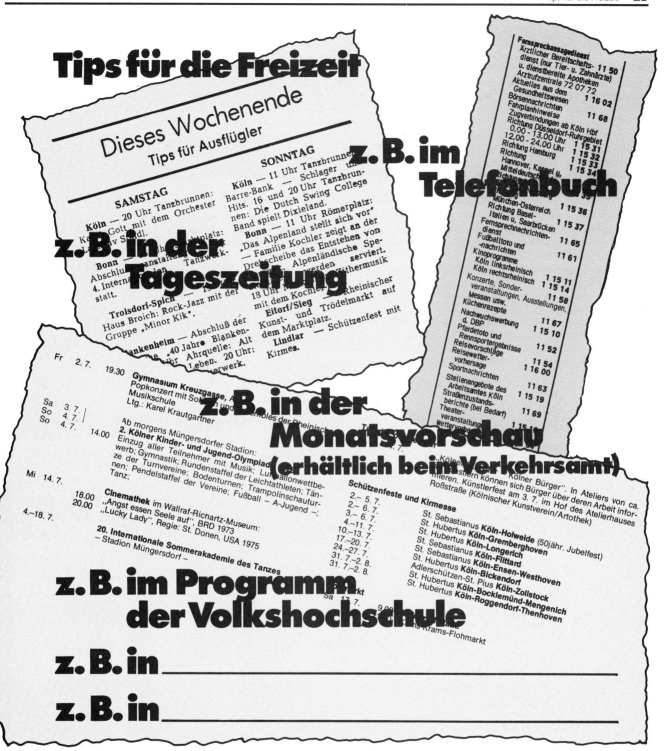

Tips für die Freizeit

Dieses Wochenende
Tips für Ausflügler

z. B. im Telefonbuch

z. B. in der Tageszeitung

z. B. in der Monatsvorschau (erhältlich beim Verkehrsamt)

SAMSTAG

Köln — 20 Uhr Tanzbrunnen: Ka... Gott mit dem Orchester ... Stödl.

Bonn — ...platz: Abschlu...anstaltung... Tanzwerk-4. Intern...elen statt.

Troisdorf-Spich — Haus Broich: Rock-Jazz mit der Gruppe „Minor Kik".

...ankenheim — Abschluß der ...he „40 Jahre Blanken-... Ahrquelle: Alt Leben, 20 Uhr: ...erwerk.

SONNTAG

Köln — 11 Uhr Tanzbrunnen: Barre-Bank — Schlager und Hits. 16 und 20 Uhr Tanzbrunnen: Die Dutch Swing College Band spielt Dixieland.

Bonn — 11 Uhr Römerplatz: „Das Alpenland stellt sich vor" — Familie Kochler zeigt an der Drehscheibe das Entstehen von ... Alpenländische Spe-... werden ... serviert. 18 Uhr ... Rheinischer mit dem Kochler ...zithermusik

Eitorf/Sieg — Kunst- und Trödelmarkt auf dem Marktplatz.

Lindlar — Schützenfest mit Kirmes.

Fr	2. 7.	19.30

Gymnasium Kreuzgasse, ... Popkonzert mit So... und ...embles der Rheinisch... Musikschule Ltg.: Karel Krautgartner

Sa	3. 7.	
So	4. 7.	
So	4. 7.	14.00

Ab morgens Müngersdorfer Stadion: **2. Kölner Kinder- und Jugend-Olympiad**: Einzug aller Teilnehmer mit Musik; Lu...allonwettbe-werb: Gymnastik; Rundenstaffel der Leichtathleten; Tän-ze der Turnvereine; Bodenturnen; Trampolinschautur-nen; Pendelstaffel der Vereine; Fußball — A-Jugend —; Tanz;

Mi	14. 7.	18.00
		20.00

Cinemathek im Wallraf-Richartz-Museum: „Angst essen Seele auf", BRD 1973 „Lucky Lady", Regie: St. Donen, USA 1975

4.–18. 7.		

20. Internationale Sommerakademie des Tanzes — Stadion Müngersdorf —

z. B. im Programm der Volkshochschule

z. B. in _____

z. B. in _____

Schützenfeste und Kirmesse

2.– 5. 7.	St. Sebastianus **Köln-Holwelde** (50jähr. Jubelfest)
2.– 6. 7.	St. Hubertus **Köln-Gremberghoven**
3.– 6. 7.	St. Hubertus **Köln-Longerich**
4.–11. 7.	St. Sebastianus **Köln-Flittard**
10.–13. 7.	St. Sebastianus **Köln-Ensen-Westhoven**
17.–20. 7.	St. Hubertus **Köln-Bickendorf**
24.–27. 7.	Adlerschützen-St. Pius **Köln-Zollstock**
31. 7.–2. 8.	St. Hubertus **Köln-Bocklemünd-Mengenich**
31. 7.–2. 8.	St. Hubertus **Köln-Roggendorf-Thenhoven**

...lieren. Künstlerfest am 3. 7. im Hof des Atelierhauses Roßstraße (Kölnischer Kunstverein/Artothek)

...stern können sich Bürger über deren Arbeit infor-... Kölner Bürger". In Ateliers von ca. ...Künstlerfest am 3. 7. ...

Fernsprechansagedienst

Ärztlicher Bereitschafts-dienst (nur Tier- u. Zahnärzte) u. dienstbereite Apotheken	11 50
Ärztrufzentrale	72 07 72
Aktuelles aus dem Gesundheitswesen	1 16 02
Börsennachrichten	
Fahrplanhinweise	11 68
Zugverbindungen ab Köln Hbf Richtung Düsseldorf-Ruhrgebiet	
0.00 - 13.00 Uhr	1 15 31
12.00 - 24.00 Uhr	1 15 32
Richtung Hamburg	1 15 33
Richtung Hannover, Kassel u. Mitteldeutschl.	1 15 34
Richtung ...	...35
München-Österreich	1 15 36
Richtung Basel-Italien u. Saarbrücken	1 15 37
Fernsprechnachrichten-dienst	11 65
Fußballtoto und -nachrichten	11 61
Kinoprogramme Köln linksrheinisch	1 15 11
Köln rechtsrheinisch	1 15 14
Konzerte, Sonder-veranstaltungen, Ausstellungen, Messen usw.	11 58
Küchenrezepte	
Nachwuchswerbung d. DBP	11 67
Pferdetoto und Rennsportergebnisse	1 15 10
Reisevorschläge	11 52
Reisewetter-vorhersage	1 15 4
Sportnachrichten	1 16 00
Stellenangebote des Arbeitsamtes Köln	11 63
Straßenzustands-berichte (bei Bedarf)	1 15 19
Theater-veranstaltung	11 69
Wettervor...	1 15 1...

Was sagt ihr dazu? E/G/K

1 Stelle mit Hilfe der „Tips" eine Liste von Freizeitmöglichkeiten auf. Welche sagen dir zu?

2 Informiert euch über das Freizeitangebot in eurem Ort.
Diskutiert, welche Möglichkeiten es gibt. Wie beurteilt ihr sie?
Und welche Angebote vermißt ihr?

Gemeinsam aktiv

Worum geht's?

1   Höre dir diesen Bericht gut an. Mache Notizen und ergänze die Tabelle.

Prozent der Bevölkerung	Behauptung
71	
45	
43	
43	

2   Welche Alternativen zum Sportverein gibt es, und wie schneiden sie im Vergleich ab (nach dem Deutschen Sportbund)?

Was steckt dahinter?   G/K

Untersucht in mehreren Gruppen die abgebildete Anzeige anhand der folgenden Aufgaben. Macht euch Notizen zu euren Ergebnissen.

1   Beschreibt die abgebildeten Personen. (Berücksichtigt Kleidung, Körperhaltung und Gesichtsausdruck.)

2   a   „Auf einen Schlag" bedeutet „plötzlich". Erklärt die sprachliche Veränderung in der Anzeige und ihre Wirkung.

       b   Beschreibt den auffälligen Unterschied im Schriftbild des Textes über den Personen. Erklärt die Wirkung des Schriftbildes des Nebensatzes.

Vergleicht nun die Ergebnisse eurer Gruppenarbeit und diskutiert anschließend folgende Fragen:

3   Die Werbung versucht häufig, beim Adressaten ein „Wir-Gefühl" zu erzeugen. Trifft das auch für diese Anzeige zu?

4   Könnt ihr erklären, warum in der Anzeige Tennisspieler und nicht etwa Ballonfahrer oder Rugbyspieler abgebildet sind?

5   Wird die Anzeige eher Leistungssportler oder Hobbysportler ansprechen? Warum?

Im Verein ist Sport am schönsten

...weil wir hier den Alltagsärger mit einem Schlag vergessen!

Bei uns im Verein ist die Entspannung so wichtig wie die Spannung beim Spiel. Sie werden überrascht sein, was die Vereine auch bei Ihnen für den Feierabend so zu bieten haben.

Deutscher Sportbund

Breitensport im Verein?

Worum geht's?

Entsprechen diese Behauptungen den Aussagen von Thomas? Berichtige die Fehler.

1 Um Sport zu treiben, muß man in einen Verein gehen.

2 Das Training im Verein nimmt viel Zeit in Anspruch.

3 Vereine wollen nicht nur die besten Sportler.

4 Wettkämpfe finden relativ selten statt.

5 Thomas will Spitzensportler werden.

Erweitere deine Sprachkenntnisse!

Aufgabe 1

Höre dir die Tonbandaufnahme noch einmal an. Ergänze folgende Sätze:

1 Es ist nötig, . . .

2 Es ist besser, . . .

3 Es lohnt sich nicht, . . .

4 Es ist wichtig, . . .

Aufgabe 2

Versuche die Stellen zu finden, an denen Thomas mit anderen Worten folgendes sagt, und schreibe die Ausdrücke, die er verwendet, genau auf:

1 das nimmt viel Zeit in Anspruch

2 man muß viel lernen

3 ich treibe nicht viel Sport

4 . . . die könnten es zu was bringen.

Aufgabe 3   G/K

Erarbeitet zusammen einige Merkmale der gesprochenen Sprache.

Die Volkshochschulen

In der Bundesrepublik gibt es rund 850 Volkshochschulen: hinzu kommen etwa 4000 Außenstellen. Träger sind im allgemeinen die Gemeinde, der Kreis oder ein eingetragener Verein; die Länder gewähren Zuschüsse. Volkshochschulen sind überparteilich und überkonfessionell. Zwei Formen lassen sich unterscheiden: Abendvolkshochschulen – bei weitem die größte Zahl – und Heimvolkshochschulen, in denen mehrtägige und -wöchige Kurse und Lehrgänge stattfinden.

Worum geht's?

Höre diesen kurzen Abschnitt gut an, dann setze die richtigen Daten ein.

Sowohl _____ als auch Rundfunktechnik und Zen-Meditation werden an den VHS behandelt. 1981 wurden _____ Kurse abgehalten und _____ Millionen Hörer schrieben sich dafür ein. Im Jahre _____ waren es 78,000 Kurse. Durch Hörergebühren wurden _____ Millionen Mark aufgebracht. Seit einigen Jahren werden in _____ Fachgebieten Zertifikate verliehen.

Wo man für Bildung Schlange steht

Wer heute in den Programmen der Volkshochschulen (VHS) blättert, dem gehen die Augen über: Vom Batikkurs bis zum Sensibilitätstraining, vom kaufmännischen Rechnen bis zur Lebenshilfe für Homosexuelle, vom Englisch für Anfänger bis zum Chinesisch für Fortgeschrittene — all dies und noch viel mehr wird angeboten. Manche Programme sind so dick wie Telefonbücher. In den vergangenen zehn Jahren hat sich die Zahl der Hörer verdoppelt. Vier Millionen Menschen strömten 1979 in die Volkshochschulkurse, viermal soviel wie Studenten in die Universitäten und Hochschulen. Hinzu kamen rund 3.5 Millionen Besucher von Einzelveranstaltungen.

„Die bessere Schulbildung und die verschärfte Konkurrenz im Beruf" sind nach Ansicht des Leiters des Berliner „Max-Planck-Institutes für Bildungsforschung", Professor Hellmut Becker, Ursache für diesen Trend. Wer schon etwas weiß, will mehr wissen.

Zweimal im Jahr — im Herbst und im Frühjahr — bilden sich vor den Volkshochschulen lange Schlangen. Denn auch an der VHS gibt es inzwischen für viele Kurse einen Numerus clausus. Schon früh um fünf warten Tausende geduldig mit Thermosflasche und Klappstuhl auf den Einschreibebeginn, um einen der begehrten Plätze in den Sprach- und Kreativ-Kursen zu erwischen. „Im vorigen Herbst", sagt Jürgen Stumper von der Zentralen Anmeldestelle der Bremer VHS, „mußten wir unser Haus zeitweilig schließen, weil wir Angst hatten, daß die Treppen unserer alten Villa zusammenbrechen."

Was sind das für Leute, die sich schon im Morgengrauen drängen; die sich — ermüdet von der Arbeit — am Feierabend in Schulklassen treffen, um Vokabeln zu pauken; die ihrem Fernseher den Rücken kehren, um philosophische Vorträge zu hören, sich mit Problemen der Kindererziehung zu beschäftigen; die ihren Hauptschulabschluß nachholen, statt in die Disco zu gehen?

Die Motive sind so vielfältig wie das Themen-Angebot. Beate Oldewurtel, 24, ist Gastwirtin in Norden, Ostfriesland. Einmal in der Woche lernt sie Italienisch in der Volkshochschule: „In der Kneipe verblödet man. Für Kulturelles gibt es in Norden nur die Volkshochschule." Martin Schachtner aus Bremen, 37, ist Elektriker und Vater eines zehnjährigen Jungen: „Ich lerne auf der Volkshochschule Mengenlehre, damit ich meinem Sohn besser bei den Hausaufgaben helfen kann." Die Hausfrau Maria Gösswald, 54, übt sich jeden Mittwoch um neun Uhr morgens an der Münchner VHS im freien Sprechen: „Der Mann ist den ganzen Tag weg, die Töchter sind aus dem Haus. Als Hausfrau verlernt man das Reden." Otto und Margot Backhaus, 74 und 60 Jahre alt, belegten an der Hamburger VHS gleich zwei Kurse — Töpfern am Dienstag und Psychologie am Donnerstag: „Als Rentner haben wir endlich Zeit, unseren Hobbys nachzugehen."

Sprachen für die nächsten Ferien lernen, sich für den Beruf qualifizieren, die verschüttete Phantasie beim Malen und Töpfern wieder ausgraben — das alles sind Motive, weshalb erwachsene Menschen freiwillig und in ihrer Freizeit noch einmal die Schulbank drücken.

Training für eingerostete Körper und verkrüppelte Seelen

Für die meisten ist die Volkshochschule eine Schule ohne Angst. „Hier gibt es keinen Notendruck, keine Bange, nicht versetzt zu werden", sagt die 42jährige Münchner Büroangestellte Maria Fohr, „wenn es keinen Spaß mehr macht, läßt man den Kurs eben sausen."

Viele finden den Weg in die Volkshochschule aber auch, weil sie sich zu Hause einsam fühlen, neue Menschen kennenlernen und Kontakte knüpfen wollen. Nicht immer erfüllen sich die Erwartungen, Anschluß zu finden. Der Berliner Soziologe Peter Hansen, 37, buchte einen VHS-Kurs „Jazz-Gymnastik", um eine Frau kennenzulernen. Unter 40 Frauen war er der einzige Mann. „Doch nach Kursschluß sagte man ‚tschüs' und ging seiner Wege."

Im „Gesundheitspark" der Münchner VHS, der 1973 im Olympia-Zentrum eröffnet wurde, werden nicht nur die eingerosteten Körper, sondern auch die verkrüppelten Seelen trainiert. Hier kann man sich gemeinsam das Rauchen abgewöhnen, tanzen, malen, töpfern, meditieren, entspannen, sich psychologisch beraten lassen. Hier machen Herzkranke unter Aufsicht eines Arztes Gymnastik, sprechen brustamputierte Frauen über ihre Probleme seit der Krebs-Operation. Das Besondere am Gesundheitspark: Voranmeldungen sind für die meisten Kurse nicht nötig. Man schaut hinein — und bleibt, wenn es einen interessiert.

Stern, Juli 1981 (gekürzt)

Anmerkungen

blättern	(hier) lesen
die Augen gehen jemandem über	jemand wundert sich
das Sensibilitätstraining	das Training (zur Steigerung) der sinnlichen Wahrnehmung
die Veranstaltung	(hier) der Vortrag, Unterricht an der Universität oder VHS.
die Ursache	der Grund
der Numerus clausus (Latein)	die Zulassungsbeschränkung – das heißt, nur eine begrenzte Zahl von Teilnehmern wird akzeptiert
der Einschreibebeginn	der Termin, an dem die Anmeldung beginnt
Vokabeln pauken	Vokabeln (stur) auswendig lernen
der Hauptschulabschluß	die Qualifikation am Ende der Hauptschule, in etwa vergleichbar mit GCSE
nachholen	(hier) nach der normalen Schulzeit machen (also in einer Einrichtung der Weiterbildung)
verschüttet	überdeckt, deswegen vergessen
verkrüppelt	mißgebildet (durch Krankheit, Unfall oder Vererbung)

Worum geht's?

Lies den Text durch, und kreuze die richtige Antwort an.

1 Die Anzahl der VHS Studenten ist
    a unverändert geblieben.
    b gestiegen.
    c gesunken.

2 Lange Schlangen bilden sich,
    a weil nur wenige Kurse angeboten werden.
    b weil man nach fünf Uhr keinen Platz mehr bekommt.
    c weil es einen Numerus clausus gibt.

3 Die Motive zur Teilnahme an VHS-Kursen sind
    a gleich.
    b für bestimmte Altersgruppen gleich.
    c verschieden.

4
    a Man darf einen Kurs jederzeit abbrechen.
    b Man darf nicht aufhören, wenn man versetzt werden will.
    c Man muß aufhören, wenn man den Hauptschulabschluß erreicht hat.

5 Viele besuchen die VHS,
    a weil sie nicht auf Notendruck verzichten wollen.
    b weil sie in der Schule versagt haben.
    c weil sie dazu gezwungen werden.

6 Die VHS bieten
    a nur Sprachen und Fächer, die in der Schule schon angeboten werden.
    b Schulfächer, aber auch Psychologie, Tanzen, Meditation, Gesprächskreise usw.
    c nur Kurse, die Fachkenntnisse voraussetzen.

Erweitere deine Sprachkenntnisse!

Wie sagst du das mit eigenen Worten?

1 Programme . . . wie Telefonbücher

2 im Morgengrauen

3 am Feierabend

4 dem Fernseher den Rücken kehren

5 die Schulbank drücken

6 (nicht) versetzt werden

7 seiner Wege gehen

8 die Zahl hat sich verdoppelt

9 sie wollen sich an den Kursen beteiligen

10 er gewöhnt sich das Rauchen ab

11 sie schreiben sich ein

12 man beschäftigt sich mit dem Problem

Übung macht den Meister!

Übung 1

Präpositionen

Welche Präposition paßt? Ergänze!

1 Die meisten haben keine Lust, _____ Hause zu bleiben.

2 Zweimal _____ Jahr bilden sich lange Schlangen.

3 Es gibt einen Numerus clausus _____ der VHS.

4 Herr Schachtner hilft seinem Sohn _____ den Hausaufgaben.

5 Er war der einzige Mann _____ 40 Frauen.

6 Frauen sprechen _____ ihre Probleme.

7 Voranmeldungen sind nicht nötig – das ist das Besondere _____ Gesundheitspark.

8 Viele warten _____ den Einschreibebeginn.

9 Sie üben sich auch _____ freien Sprechen.

10 Peter Hansen kommt _____ Berlin.

Übung 2

Infinitivkonstruktionen

Ergänze folgende Kommentare der VHS – Studenten bzw. – Mitarbeiter mit einem Infinitiv (*zu . . . + Infinitiv*).

1 Maria Gösswald: „Es ist langweilig, . . .

2 Beate Oldewurtel: „Ich habe keine Lust, . . .

3 Jürgen Stumper: „Wir waren gezwungen, . . .

4 Peter Hansen: „Ich hatte gehofft, . . .

5 Maria Fohr: „Man hat immer die Möglichkeit, . . . wenn es keinen Spaß macht".

Übung 3

Beantworte die Fragen und verwende dabei eine Infinitivkonstruktion (*zu . . ./um . . . zu + Infinitiv*)

1 Wozu warten Tausende ungeduldig auf den Einschreibebeginn?

2 Statt in die Disco zu gehen, gehen viele zur VHS – wozu?

3 Wozu geht
    a Beate Oldewurtel
    b Maria Gösswald
    c Martin Schachtner
    d Margot Backhaus
    e Peter Hansen
zur VHS?

4 Wovor hat man in der Schule Angst?

5 Was ist im Gesundheitspark nicht nötig?

6 Wozu gehen einsame Leute zur VHS?

Übung 4

Bilde Sätze mit *anstatt . . . zu/ohne . . . zu + Infinitiv*.

1 Sie besuchen VHS-Kurse. Sie gehen nicht in die Kneipe.

2 Sie nehmen daran teil. Sie sehen nicht fern.

3 Man kann daran teilnehmen. Man hat keine Angst.

4 Man kann Kurse im Gesundheitspark besuchen. Man meldet sich nicht im voraus an.

5 Viele nehmen Thermosflaschen mit. Sie frühstücken nicht zu Hause.

6 Man lernt neue Leute kennen. Man langweilt sich nicht.

Übung 5

Reflexive Verben

Ergänze die Sätze mit einem reflexiven Verb aus der untenstehenden Liste. Vorsicht, nicht alle sind sinnvoll zu verwenden.

Beispiel: Die VHS-Kurse sind sehr beliebt, also bilden sich Schlangen am frühen Morgen.

1 Die Leute wollen an Kursen teilnehmen, . . .

2 Einige Leute haben Probleme mit ihren Kindern, . . .

3 Eine Hausfrau hat das Reden verlernt, . . .

4 Viele haben niemanden zu Hause, der ihnen Gesellschaft leistet, . . .

5 Viele leiden physisch und psychisch . . .

6 Einige haben keine Berufsausbildung, . . .

sich erfüllen   sich üben   sich drängen
sich qualifizieren   sich entspannen   sich fühlen
sich beschäftigen   sich schließen

Übung 6

Satzgefüge

Versetze dich in die Lage von

1   Beate Oldewurtels Freund.

2   Maria Gösswalds Mann.

3   Otto Backhausens Schwiegertochter.

4   Martin Schachtners Sohn.

5   Maria Fohrs Tochter.

Kommentiere aus diesen Rollen jeweils den VHS-Besuch deiner Bezugsperson (z.B.: *Es lohnt sich . . ./Es hat keinen Sinn, . . . Es ist wichtig, . . ./Ich finde es gut, daß . . ./Er/sie hofft . . . zu/daß,/ Er/sie versucht . . . zu . . . usw.*) Wenn du dich nicht mehr erinnerst, wozu die Bezugspersonen zur VHS gehen, sieh noch einmal im Text nach und/oder greife auf die Ergebnisse von Übung 3 zurück.

Was sagst du dazu? $\boxed{\text{E/K}}$

1   Welche Kurse würden diese Leute belegen, und zu welchem Zweck?

    a   Jochen Sander (35), geschieden, arbeitslos, ein Kind.

    b   Annette Stasch (67), Witwe, ehemals Kunststudentin.

    c   Martin Henning (46), Betriebsleiter, verheiratet, vier Kinder, Frau berufstätig.

    d   Olga Plumpe (36), alleinstehend, Sekretärin, kommt nicht gut mit ihrem Chef aus.

    e   Rolf Schulte (52), Herzinfarkt 1986, starker Raucher, leidet unter Streß.

    f   Marianne Fenner (48), geschieden, zwei Kinder aus dem Haus, reist gern.

2   „Hier gibt es keinen Notendruck, keine Angst, nicht versetzt zu werden". Muß es Notendruck und Angst in der Schule geben?

3   „Fernsehen – Disco – Kneipe" werden im Text als Freizeitmöglichkeiten dargestellt. Warum genügt dieses Freizeitangebot anscheinend nicht?

Bergstraße 1–3
Telefon 455–4322

HEINRICH-THÖNE-VOLKSHOCHSCHULE DER STADT MÜLHEIM A. D. RUHR

Zweite Chance auf dem Zweiten Bildungsweg

Worum geht's?

Abschnitt 1

Höre dir den ersten Abschnitt an, und mache dann Notizen über die VHS–Studenten.

	Kurs	Beruf	Ziel	Stand
Susanne				
Günther				
Jörg				

Abschnitt 2

In welchen Fächern wird die Gruppe unterrichtet, und welchen Abschluß streben die Studenten an?

Abschnitt 3

1   Welche Studenten wollen den Beruf wechseln und warum?

2   Aus welchen Gründen besucht Günther den Kurs?

3   „Ich seh' im Moment nicht schwarz". Was ist damit gemeint?

4   Welche Einstellung der Schüler aus Günthers Generation hat zu schlechten Ergebnissen in der Schule geführt?

5   Wie hat sich die Einstellung der Studenten seit der Schulzeit geändert?

6   Was wird jüngeren Schülern geraten und warum?

7   Was ist für Susanne und Jörg der große Nachteil des Zweiten Bildungsweges?

8   Jörg meint, daß er in gewissem Sinne davon profitiert hat, daß er die Schule verfrüht verlassen hat. Inwiefern?

Was sagt ihr dazu? [K]

Hört euch die Tonbandaufnahme noch einmal an. Diskutiert dann die folgenden Fragen.

1   Welche Vorteile/Nachteile haben „erwachsene Schüler"?

2   Warum versagen eurer Meinung nach Schüler im regulären Schulsystem?

Bis '92 gibt's an VHS 1500 Unterrichtsstunden mehr

CDU im Ausschuß gegen Fortschreibung des Weiterbildungsentwicklungsplans: „Solange Land nichts tut"

Flexibel hat Mülheims VHS schon längst auf die Herausforderungen der 90er Jahre reagiert, bietet seit längerem Hilfestellung im Umgang mit Chancen und Problemen der neuen Techniken, vielfältige Möglichkeiten zu beruflicher Bildung und Qualifikation, Anregung zu kreativer Gestaltung der immer mehr zunehmenden Freizeit. Beweis dafür, daß sie mit diesem Angebot richtig liegt: Wegen der starken Nachfrage mußten im Sachbereich „Alphabetisierungskurse und neue Techniken" im Jahre 1987 11 495 Unterrichtsstunden angeboten werden. Der 1984 aufgestellte zweite „Weiterbildungsentwicklungsplan" (WEP) sah für 1987 aber nur 7 340 Stunden vor und ging im übrigen davon aus, daß „eine Erhöhung der Unterrichtsstunden und Teilnehmerzahlen unter den gegebenen Bedingungen für die Volkshochschule nicht realistisch" sei. Diese falsche Prognose korrigiert der neue VHS-WEP, den der Weiterbildungsausschuß mit den Stimmen von SPD und Grünen verabschiedete. Danach soll bis 1992 das VHS-Programm um 64 Veranstaltungen und um 1 500 Unterrichtsstunden ausgeweitet werden, und zwar

- um 350 auf 1 250 Stunden im Bereich berufliche Bildung,
- um 250 auf 1 530 Stunden bei der politischen,
- um 200 auf 4 900 Stunden bei der freizeitorientierten,
- um 700 auf 12 185 Stunden bei der personenbezogenen Bildung (Neue Techniken und kulturelle Bildung).

Konsequenzen für die VHS-Personalausstattung: Einrichtung einer Planstelle für den Weiterbildungslehrer (z.Zt. ABM-Kraft) und einer Planstelle für das Selbstlernzentrum, damit es, so VHS-Direktor Norbert F.B. Greger, „wieder so funktionsfähig ist wie Anfang der 80er Jahre". Finanzielle Folge: Bis 1992 erhöhen sich die Kosten um insgesamt 500 000 DM auf rund 4 Mio DM, wobei – einzige Änderung auf Grund eines SPD-Antrags zur ursprünglichen Verwaltungsvorlage – auf der Basis von 1987 mit einer jährlichen Personalkostensteigerung von 2 vH (insgesamt 10 vH) gerechnet wird.

Während die SPD den Plan begrüßte als Möglichkeit zu einem zukunftsorientierten, bürgernahen, flexibel auf ständigen Wandel reagierenden VHS-Angebot, befürchtete Hans-Martin Schlebusch (CDU) „letztlich eine Ausweitung städtischer Zuschüsse" und lehnte namens seiner Fraktion den Plan ab „so lange sich auf Landesebene nichts tut".

Die Landesmittel für Weiterbildung, belegte er anhand von Zahlen, seien seit 1979 gesunken, die Zuschüsse der Stadt dafür aber stetig gestiegen. Daß der Landeszuschuß in 89 um 37 000 DM erhöht werde, wandte Kulturdezernentin Oda Gawlik ein. Und VHS-Direktor Greger: „Es ist das erste Mal, daß die CDU eine Fortschreibung des WEP nicht mitträgt".

WAZ, 10.6.89

Anmerkungen

die Herausforderungen	die unbewältigten, reizvollen Aufgaben
die Anregung	der Stimulus, der Impuls
der Alphabetisierungskurs	ein Kurs, in dem Lese- und Schreibfertigkeiten gelehrt werden
vorsehen	planen
unter den gegebenen Bedingungen	so, wie die Situation damals war
der Weiterbildungsausschuß	(hier) eine Gruppe von Mitgliedern des Rates der Stadt (des Stadtparlaments, die für den Sachbereich Weiterbildung Beschlüsse faßt
die Planstelle	eine auf Dauer eingerichtete Stelle, (hier) für einen hauptamtlichen Lehrer
das Selbstlernzentrum (-en)	ein Bereich, in dem man ohne Lehrer lernt (z.B. mit vorhandenen Programmen im Sprachlabor)
die Verwaltungsvorlage	ein Plan, den die Stadtverwaltung (Administration) vorlegt; der Rat (Parlament) bzw. einer seiner Ausschüsse benutzt die Vorlage als Hilfe bei Beschlüssen
die Fraktion	die Gruppe von Mitgliedern eines Parlaments, die einer Partei angehören
der Wandel	die Veränderung

Erweitere deine Sprachkenntnisse!

Aufgabe 1

Suche im Text die entsprechenden Ausdrücke für:

1 because of the great demand

2 with the votes of the SPD and the Greens

3 the creation of an established post

4 the state's further education budget

5 as long as nothing happens.

Aufgabe 2

Was bedeuten die folgenden Abkürzungen?

1 VHS

2 z.Zt.

3 SPD

4 2vH

5 CDU

6 WEP

Aufgabe 3

Stelle eine Liste von Zusammensetzungen aus dem Text auf, die aus Substantiven bestehen, z.B.
Volk und Hochschule : Volkshochschule
Bilde ähnliche Zusammensetzungen mit Hilfe der folgenden Tabelle:

Freizeit	Ausweitung
Stadt	Kurse
Programme	Erhöhung
Volkshochschule	Gestaltung
Kosten	Zuschuß

Was sagst du dazu?

1 Stelle einem Deutschen deine liebste Freizeitbeschäftigung vor (denke z.B. an einen neuen Brieffreund oder eine neue Brieffreundin; erkläre also, was du tust, was dir daran Freude macht, und gehe auf zu erwartende Fragen (besonders Fragen nach Risiken für dich und andere) ein.

2 Wie wichtig ist heute eine sinnvolle Freizeitgestaltung, und welche Gefahren sind mit dem Trend zur „Freizeitgesellschaft" verbunden?

Thema 3 Umwelt

Der Preis für den Luxus

Viel Müll, viel Lärm und ein Loch im Himmel

Der Preis für den Luxus

Der Fortschritt hat viele Gesichter: schnelle Autos, komfortable Wohnungen, gutes Essen und anderen Luxus. Der Preis für immer mehr Konsum und Industrialisierung sind immer mehr Müllberge, Lärm und eine Gefahr für Luft, Wasser und Boden.

Eine saubere Umwelt und der Umweltschutz sind nach Meinung der Bundesbürger heute ganz besonders wichtig. Wir fragten junge Leute in München: „Was tut ihr ganz persönlich für den Umweltschutz?"

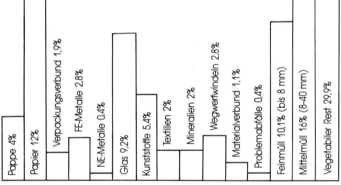

Pappe 4%
Papier 12%
Verpackungsverbund 1,9%
FE-Metalle 2,8%
NE-Metalle 0,4%
Glas 9,2%
Kunststoffe 5,4%
Textilien 2%
Mineralien 2%
Wegwerfwindeln 2,8%
Materialverbund 1,1%
Problemabfälle 0,4%
Feinmüll 10,1% (bis 8 mm)
Mittelmüll 16% (8-40 mm)
Vegetabiler Rest 29,9%

Hausmüllzusammensetzung in Gewichtsprozent in der Bundesrepublik Deutschland 1985

Gesamtmenge: 14 Millionen Tonnen

Welches gesellschaftliche Problem halten Sie für sehr wichtig:

| Arbeitslosigkeit bekämpfen 86,5% | Waldsterben bekämpfen 72,2% | Renten sichern 71,6% | wirksamer Umweltschutz 70% | Verbrechens- bekämpfung 60% | Kampf gegen Rauschgift 57,1% | Preisanstieg bekämpfen 49% | Datenschutz verbessern 30,2% | Bürokratie abbauen 34,7% |

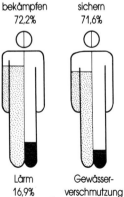

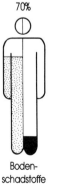
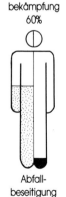

| Luft- verschmutzung 57,1% | Lärm 16,9% | Gewässer- verschmutzung 11,4% | Boden- schadstoffe 10,1% | Abfall- beseitigung 3,3% | weiß nicht 1,1% |

Von welchen dieser Umweltprobleme fühlen Sie sich am stärksten betroffen?

In jedem Jahr machen die Bundesbürger rund 30 Millionen Tonnen Dreck. „Hausmüll" nennen es die Fachleute: Straßenschmutz, Abfälle von kleineren Betrieben, Sperrmüll (alte Möbel, Geräte usw.) und vor allem Müll aus dem Haushalt. Jeder Einwohner wirft – laut Statistik – etwa 200–350 kg Abfall in seinen Mülleimer. Einen großen Anteil bilden dabei Verpackungen aus Papier, Pappe oder Kunststoff.

80 Prozent der Müllmenge werden auf Müllhalden „deponiert". Die Lagerfläche wächst jährlich um 3–4 Quadratkilometer. Das sind etwa 35 Fußballfelder. Die zum Teil hochgefährlichen Industrieabfälle sind hierbei gar nicht berücksichtigt.

Verbraucherverbände, Umweltschützer und staatliche Stellen fordern die Bürger auf, sich umweltfreundlich zu verhalten und zum Beispiel den Hausmüll zu sortieren. An vielen Orten stehen Sonder-Container für Glas, Altpapier und Altmetall.

Denn Recycling – die Wiederverwertung von Abfallstoffen – wird immer wichtiger. Die ersten Erfolge: Die jährliche Müllmenge wächst nicht weiter.

Damit kein Gift in den Boden kommt, soll man alte Medikamente, leere Batterien und altes Öl nicht in den Müll werfen. Apotheken, Elektrogeschäfte und Tankstellen sammeln den „Sondermüll".

TOBIAS, 19 Jahre: Ich fahre Kat und sammle Altbatterien. Mein Vater ist Atomphysiker und forscht nach umweltfreundlicher Kernenergie. Meiner Meinung nach liegt das Hauptproblem bei den Kohlekraftwerken und den Autoabgasen.

ECKI, 22 Jahre: Ich werfe kein Papier auf die Straße. Ich fahre auch wenig Auto. Im Haushalt allerdings tue ich wenig. Das Baumsterben, radioaktiver Abfall und die Verschmutzung der Meere sind wohl die größten Umweltprobleme. Ich hoffe, daß sich da bald was ändert.

THOMAS, 18 Jahre: Ich tue für den Umweltschutz, was ich kann. Auch meine Familie. Wenn wir durch den Wald wandern, nehmen wir Tüten mit und sammeln den Abfall. Ein besonders großes Problem ist das Ozonloch. Man könnte mehr ändern, wenn sich auch die Politiker ändern würden. Leider steckt hinter allem immer nur das Geld.

SUSANNE, 26 Jahre: Ich trenne zum Beispiel den Hausmüll. Ich sammle Aluminium, Altpapier und Plastik. Das bringe ich dann zu den Sammelstellen. Davon gibt es leider zuwenig. Auch meine Familie und meine Freunde sammeln.
Das Hauptumweltproblem, denke ich, ist der Hausmüll. Natürlich auch die Autoabgase. Es gibt ja auch immer mehr Autos. Leider wird gerade da nicht viel getan. Man könnte doch endlich auf Methanol umsteigen. Aber das eigentliche Problem ist die Industrie, die dahintersteckt.

Jugendscala, 9/1988 (gekürzt)

Worum geht's?

Ergänze die Tabelle, und gib andere Beispiele an

Sperrmüll	Sondermüll
Möbel	Batterien

Industrie
Baumsterben
Abfall
Verschmutzung des Meeres

Was sagt ihr dazu?

1 Was sind nach deiner Kenntnis die größten Umweltprobleme
    a für die Erde insgesamt?
    b in deinem Land?
       Autoabgase
       Ozonloch
       Hausmüll

2 Von welchen Problemen fühlst du dich persönlich am stärksten betroffen? Stelle eine Liste auf.

3 Was tust *du* für den Umweltschutz?

4 „Man könnte mehr ändern, wenn sich auch die Politiker ändern würden". Diskutiert diese Aussage von Thomas. Habt Ihr Vorschläge, wie sich die Politiker ändern sollten?

5 „Es gibt ja auch immer mehr Autos. Leider wird gerade da nicht viel getan". Habt ihr Vorschläge, was gemacht werden könnte?

Spezialist unter Spezialisten: Der Umweltinformatiker

Umweltschutz ist eine komplizierte Sache. Man kann den Schmutz in der Luft oder im Wasser messen und die Werte festhalten, aber was bedeuten schon Zahlen? Was kann man damit anfangen? Wie hängen sie zusammen? Was sagen sie aus? Auch hier braucht man Experten für den großen Überblick: Der Umweltinformatiker ist Umweltberater und Computer-Experte. Er sammelt die Daten und bringt sie mit seinem Rechner in den richtigen Zusammenhang. Ein Computer kann viele Daten zusammenfassen, ordnen und Trends deutlich machen. „System-Erkennung" nennt das der Fachmann. Computer-Grafiken führen komplizierte Zusammenhänge vor Augen. Als schnelles Meßgerät für Kontrolle und Analyse wird der Computer schon lange benutzt. Und er zeigt auch einen Blick in die Zukunft unserer Umwelt: Mit Simulationsprogrammen kann man ausprobieren, was passiert, wenn das Ökosystem gestört wird.

Der „Blaue Engel"

Produkte mit diesem Zeichen sind umweltfreundlich – oder besser: weniger umweltschädlich als andere. Die unabhängige „Jury Umweltzeichen" vergibt dieses Prädikat in Zusammenarbeit mit staatlichen Prüfstellen. Zur Zeit tragen etwa 1100 Produkte den Blauen Engel. Das sind zum Beispiel Spraydosen ohne Schadstoffe, Insektenschutzmittel ohne Gift, besondere Farben und Kunststoffe, Recycling-Papier, besonders leise Maschinen oder auch Autowaschanlagen, die wenig Wasser verbrauchen.

Worum geht's?

1 Suche die wichtigste Textstelle, die erklärt, wie ein Umweltinformatiker seinen Computer für einen Blick in die Zukunft benutzt.

2 Mit welcher Absicht wird der „Blaue Engel" vergeben?

3 Ist das Zeichen ein Werbetrick?

Was sagst du dazu?

1 Was ist für dich am wichtigsten beim Kauf eines Artikels?
   a Preis
   b Blauer-Engel-Zeichen
   c Marke
   d Aufmachung

2 Kannst du erklären, warum andere Leute andere Kriterien höher bewerten?

Wandrers Nachtlied

ÜBER allen Gipfeln
Ist Ruh,
In allen Wipfeln
Spürest du
Kaum einen Hauch;
Die Vögelein schweigen im Walde.
Warte nur, balde
Ruhest du auch.

Anmerkungen

der Hauch (-e)	der Atem, Luftzug
der Wipfel (-)	die Spitze eines Baumes
der Gipfel (-)	die Spitze eines Berges

Deutschland: bald ein Land ohne Wald?

Nicht weit jenseits der Grenze der Bundesrepublik ist die Zukunft der deutschen Wälder schon zu besichtigen. Wer von Bayern nur hundert Kilometer nach Nordosten in die Tschechoslowakei fährt, an Karlsbad vorbei, kommt in eine Landschaft im Koma. Im Erzgebirge an der Grenze zur DDR sind schon 175 000 Hektar Wald am Ende. Im Dunstkreis von Braunkohle-Kraftwerken ragen nur Baumskelette aus der Erde. Die Rinde ist abgeplatzt. An halb abgesägten Stämmen hängen noch die Wegweiser, doch kein Wanderer kommt hier mehr vorbei. Schilder warnen vor dem Betreten chemisch behandelter Flächen. Wo früher dichte Wälder waren, liegen jetzt nur noch ein paar leblose Wurzelstöcke herum. Grassteppe breitet sich über Kilometer aus.

Sterbende Wälder gab es auch früher schon — im Römischen Reich, als die Kaiser den Apennin abholzen ließen, in Frankreich, als nach der Revolution das notleidende Volk die Forsten plünderte, in ganz Europa, als eine Fläche größer als die Bundesrepublik im 18. und 19. Jahrhundert für den Bau von Kriegs- und Handelsschiffen und für Grubenholz kahlgeschlagen wurde. Doch als Kohle und Eisen kamen, konnten sich die Wälder erholen. Heute geht Mitteleuropa auf die schlimmste ökologische Katastrophe seit dem Ende der Eiszeit zu, als die Wälder zu wachsen begannen.

»Im Jahr 2000 könnten wir dem stummen Frühling nahe sein«, fürchtet der Bonner Ökologie-Professor Wolfgang Erz. Wenn Harz und Frankenwald, Fichtelgebirge und Schwarzwald nur noch von Krüppelholz und Gräsern bedeckt sind, wenn keine Buchen- und Eichenknospen mehr aufspringen, werden auch Buntspechte und Waldkauze, Buchfinken und Auerhähne verschwinden. 400 Arten von großen Schmetterlingen werden dann aussterben, ebenso viele Arten von Blütenpflanzen und Farnen wird es in Deutschland nicht mehr geben.

»Wetterbericht« heißt ein Gedicht von Günter Kunert: »Nun schweigen alle Wälder in Erwartung der Wüste, die auf Reisen ging.«

Stern, Juli 1984 (gekürzt)

Anmerkungen

der Dunst	der Smog
der Handel	der Kauf und Verkauf
(das Grubenholz) die Grube	(Bergbau) unter der Erde wird Kohle in einer Kohlengrube gewonnen – das Grubenholz wurde zum Ausbauen bzw. Stützen der Gruben verwendet
der Specht (-e)	eine Vogelart mit meißelartigem Schnabel, die Insekten aus der Baumrinde heraushackt
der Waldkauz (¨-e)	eine Vogelart (vergleiche Eule), die nachts jagt
der Buchfink (-en)	eine einheimische Singvogelart
der Auerhahn (¨-e)	ein Federwild, vergleiche Fasan oder Waldhuhn

Was steckt dahinter?

Der berühmte Dichter Johann Wolfgang von Goethe soll das Gedicht auf Seite 37 vor 200 Jahren in eine Waldhütte in der Nähe von Ilmenau (Thüringen) eingeschnitzt haben. Der Artikel oben ist vor wenigen Jahren im Nachrichtenmagazin *Stern* erschienen. Sowohl das Gedicht als auch der Artikel handeln vom Wald – was haben sie sonst noch gemeinsam? Welche Unterschiede gibt es? Worum geht es **a** dem Dichter und **b** dem Journalisten?

Umweltschützer der Gruppe »Robin Wood« haben bei Freiburg eine Tannenschonung mit einer riesigen Plane abgedeckt, um die jungen Bäume vor dem sauren Regen zu schützen. Die meisten alten Tannen im Schwarzwald sind nicht mehr zu retten.

Widerstand gegen den Mord am Wald

Die Umweltorganisation „Robin Wood" ist eine „gewaltfreie Aktionsgemeinschaft" (so definiert sie sich selber) mit 700 Mitgliedern, die mit Blitzaktionen zu zeigen versucht, wie der schleichende Vorgang des Waldsterbens um sich greift.

Stern, 28/1984

Worum geht's?

1 Beschreibe, was du auf dem Bild siehst.
2 Erkläre den Text auf der Plane.

Was sagt ihr dazu? G/K

Diskutiert den Sinn solcher Aktionen wie der von Robin Wood in Gruppen. (Denkt an Aufwand, Ziel und Öffentlichkeitswirkung.) Vergleicht die Ergebnisse der Gruppendiskussion.

Übung macht den Meister!

Trennbare Verben Z

Lies den Artikel auf Seite 38 noch einmal durch und mache eine Liste der trennbaren Verben, die darin vorkommen.
Welche Verbzusätze (*ab-, an,-* usw.) sind keine Präpositionen?

Vom Aussterben bedroht

TIERE IN NOT

Der Wendehals wurde vom Deutschen Bund für Vogelschutz zum Vogel des Jahres 1988 gewählt. Das geschah nicht etwa, weil er so schön oder so putzig ist, sondern weil er als Beispiel für den leisen Tod der Tiere in unserer nächsten Umgebung steht. Von den weltweit etwa 40000 Tierarten sind ungefähr 25 Prozent vom Aussterben bedroht.

Schuld am Aussterben vieler Tierarten haben letztlich wir, die Menschen. Wir bauen Straßen. Wir legen neue Industrie-und Wohngebiete an. Wir entwässern Feuchtgebiete und holzen Wälder ab. Wir führen Flurbereinigungen durch. Jedes Jahr werden in der Bundesrepublik Deutschland 1,45 Millionen Quadratmeter mit Asphalt oder Beton zugebaut. Die natürlichen Umgebungsbedingungen der Tiere werden vernichtet, 40 000 Tonnen Gift pro Jahr, die auf den Feldern verstreut werden, haben ähnlich verheerende Auswirkungen.

Weltweit stehen etwa 600 Arten kurz vor dem Aussterben. Es ist bekannt, daß seit dem Jahr 1600 etwa 150 Säugetier- und 120 Vogelarten ausgestorben sind. Fest steht auch, daß sie nicht wie die Dinosaurier durch Naturkatastrophen verschwanden, sondern durch die direkte Einwirkung des Menschen. Ausrottung ist eine endgültige Sache. Es ist ein Verlust für immer und ewig. In der freien Wildbahn ist zum Beispiel der Luchs längst ausgestorben. Den können wir nur noch im Zoo beobachten.

Die „Roten Listen" der Umweltministerien und der internationalen Naturschutzorganisation IUCN werden immer länger. Jedes Jahr erfolgt in diesen Listen eine Bestandsaufnahme über die Gefährdung einzelner Tierarten. Das Lied „Alle Vögel sind schon da" müßte eigentlich umgeschrieben werden. Viele kommen nämlich nie mehr. Aber nicht nur Säugetiere und Vögel sind vom Aussterben bedroht. Auch Insekten, besonders die Schmetterlinge, Fische, Amphibien, Weichtiere und Käfer sind betroffen. Auf dieser Seite findet Ihr nur einige Beispiele von Tieren, die stark gefährdet sind. Vielleicht können wir sie eines Tages alle nur noch im Tiergarten bewundern.

Vom Aussterben bedroht: der Vogel des Jahres 1988. Der Wendehals lebt überwiegend in Streuobstwiesen, lichten Auwäldern, Feldgehölzen und in Kiefernwäldern. Er verlor nicht nur seine Nistplätze, sondern auch seine Nahrung wurde knapp: Spinnen, Käfer und Schmetterlingsraupen.

Vom Aussterben bedroht: Sumpfschildkröte.

Vom Aussterben bedroht: Steinkauz.

Worum geht's?

Lies den Artikel und mache eine Liste von Vögeln und Tieren, die vom Aussterben bedroht oder durch Umweltverschmutzung gefährdet sind.

Übung macht den Meister!

Übung 1

Pluralbildung

Wie hießt der Singular bzw. Plural der Substantive? Ergänze:

Singular	Plural
_____	Arten
_____	Tiere
Verlust	_____
Zoo	_____
Jahr	_____
_____	Insekten
Lied	_____
Feld	_____
Vogel	_____
Wald	_____
_____	Ministerien
_____	Käfer
Storch	_____

Übung 2

Ergänze die Verbzusätze:

1 Die Vögel sterben _____.

2 Man legt Industrieanlagen _____.

3 Man baut mit Asphalt oder Beton _____.

4 Menschen rotten Tiere _____.

5 Tiere verschwinden durch die Einwirkung des Menschen. Das steht _____.

6 Man führt Flurbereinigung _____.

Welche Verben im Text sind *untrennbar*?

Übung 3

Ergänze, wo möglich, die Liste der trennbaren Verben und der entsprechenden Substantive, die im Text vorkommen:

Trennbares Verb	*Substantiv*
_____	das Aussterben
durchführen	_____
abholzen	_____
_____	die Anlage
_____	die Auswirkung
_____	die Einwirkung
_____	die Ausrottung

Übung 4

Ergänze die Tabelle:

Einwirkung	*Auswirkung*
Abholzung der Wälder	kein Wasser,
Flurbereinigung	_____
Anlegen von Industriegebieten	_____

Was steckt dahinter?

Inhaltszusammenfassung

Versucht, mit Hilfe dieser Schlüsselwörter den Inhalt der Artikel auf Seite 38 u. 40 zusammenzufassen.

Tierart	Einwirkung	Auswirkung	anlegen
Vogelart	Gefährdung	Ausrottung	aussterben
	Schadstoffe		schützen

Was sagt ihr dazu?

1 Überlegt gemeinsam, ob auch in eurer Umgebung die Natur in Not ist. Sammelt die Hinweise in einer Liste, die die gefährdeten Tiere bzw. Pflanzen und die Gefahrquellen' enthält.

2 Überlegt gemeinsam, welche Möglichkeiten ihr mit euren Mitschülern und Mitschülerinnen (und deren Familien) habt, die Natur zu schützen.

Umweltschutz wird immer wichtiger. Unabhängig von den gesetzlichen Vorschriften kann jeder seinen Beitrag zur Reinhaltung der Luft und zur Rettung des Waldes leisten. Man muß nur wollen. Wenn man an die Zukunft denkt, sollte es einem eigentlich selbstverständliche Pflicht sein.

Kaum im Auto, schon im ›Schongang‹?

Diese Frage muß man sich mit einem lauten ›Ja‹ beanworten. Denn: Bei durchgetretenem Gaspedal nimmt der Ausstoß umweltfeindlicher Schadstoffe stark zu. Ganz zu schweigen vom Benzindurst des Fahrzeugs, der dem Geldbeutel auf die Nerven geht.

An Ampeln kann man der Umwelt viel Gutes tun, indem man den Motor bei längeren Ampelstops abstellt. Die Schadstoff-Belastung wird dadurch in den Städten verringert. Und wieder spart man Sprit. Es gibt übrigens schon sogenannte ›Umwelt-Ampeln‹, die über Zusatzschild auf das Abstellen des Motors hinweisen.

Viele Millionen Autos sind heute schon ohne Katalysator und komplizierte Umrüstung tauglich für bleifreies Benzin. Die schädliche Bleibelastung wird gesenkt.

Auch die regelmäßige Prüfung der Motoreinstellung dient dem Umweltschutz. Die richtige Einstellung von Zündung, Vergaser und Ventilen hat darüber hinaus noch positive Auswirkungen auf den Benzinverbrauch.

Manche ziehen Rauchwolken hinter sich her. Das ist immer ein Zeichen dafür, daß etwas mit der Verbrennung nicht stimmt. Und dabei entstehen hochgiftige Abgase.

Auch bei Altwagen kann man die Abgase entgiften: z.B. durch den Einbau eines ungeregelten Katalysators oder einer Abgasrückführung.

Der Katalysator schützt die Umwelt und wird deshalb steuerlich begünstigt. Aber darüber hinaus gibt's viele Wege, etwas für die Umwelt zu tun.

Cool im Verkehr, Fahrlehrerverband
Baden-Württemberg, 1986

Übung macht den Meister!

Trennbare Verben mit Modalverb

Was kann man als Autofahrer für die Umwelt tun? Ergänze jeden Satz mit dem Infinitiv eines trennbaren Verbs.

1 Man kann die Luft _____.

2 Man sollte das Gaspedal nicht _____.

3 Man kann bei längeren Ampelstops den Motor _____.

4 Man sollte keine Rauchwolken hinter sich _____.

5 Man kann „Umweltsünder" auf ihre Fehler _____.

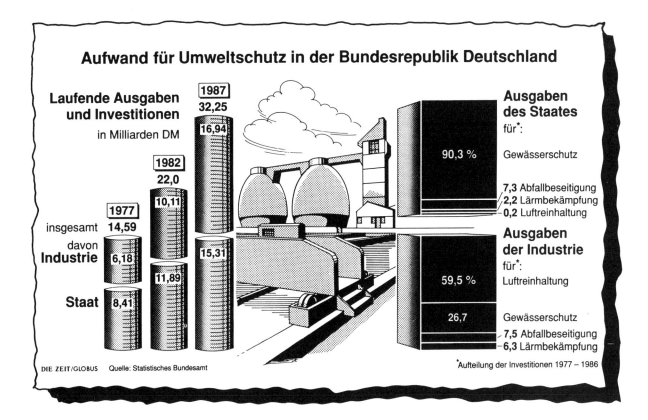

Aufwand für Umweltschutz in der Bundesrepublik Deutschland

Laufende Ausgaben und Investitionen
in Milliarden DM

1987 32,25 / 16,94
1982 22,0 / 10,11
1977 14,59
insgesamt
davon **Industrie** 6,18 / 11,89 / 15,31
Staat 8,41

DIE ZEIT/GLOBUS Quelle: Statistisches Bundesamt

Ausgaben des Staates für*:
90,3 % Gewässerschutz
7,3 Abfallbeseitigung
2,2 Lärmbekämpfung
0,2 Luftreinhaltung

Ausgaben der Industrie für*:
59,5 % Luftreinhaltung
26,7 Gewässerschutz
7,5 Abfallbeseitigung
6,3 Lärmbekämpfung

*Aufteilung der Investitionen 1977 – 1986

Was steckt dahinter?

1 Wer bezahlt den Umweltschutz?

2 Vergleiche die staatlichen Kosten mit denen, die der Industrie entstanden,
    a   für das Jahr 1977.
    b   für das Jahr 1987.
Was fällt dir auf?

3 Wie kommt es, daß
    a   der Gewässerschutz beim Staat
    b   die Luftreinhaltung bei der Industrie
    dominieren?

4 Welche Schlußfolgerungen ergeben sich aus der Analyse der anderen Ausgabenposten (siehe rechts)?

Der einsame Surfer

An den Badeseen wird es immer enger

30 Prozent aller Deutschen machen sich an schönen Wochenenden auf in die Natur. Das sind etwa 18 Millionen Menschen, und die meisten drängt es ans Wasser. Am beliebtesten sind natürliche Binnenseen. Bei Umfragen erhielten sie sechsmal soviel Zuspruch wie zum Beispiel aufwendige Parkanlagen mit großen Rosengärten. Der Binnensee ist für den Erholungsuchenden aus der Stadt der Inbegriff von Natur. Diese Sehnsucht ist letztes Überbleibsel aus der Zeit der Wassermythen, als der reine Quell noch das Zeichen der Unschuld war, als der Nöck durch die Wasser geisterte und nicht die Plastiktüte.

Was so begehrt ist, ist auch umkämpft. Wasserratten und Naturfreunde streiten mit treudeutscher Verbiesterung um vermeintliche Vorrechte. Am schlimmsten sind die Surfer, sagen die anderen. Schon weil sie so viele sind. Der Brett-Boom hält an, bald werden eine Million dieser Symbole von Freiheit und Abenteuer auf Autodächern verzurrt sein. Von der Küste bis zum Bodensee eine einzige Klage: Die Anfänger, die gerade eben drauf stehen, aber ihren Kurs nicht halten können, gefährden die Vögel im Schilf, die Unterwasser-Vegetation und die Schwimmer beim Baden. Oft sind es Schauermärchen, aber sie erzählen sich so schön, wenn man Surfer nicht mag.

Tatsächlich wurde vor Jahren in einer Regensburger Surfschule ein Badender durch ein verirrtes Brett tödlich verletzt. Die Surfkönner allerdings rasen weit vom Ufer und gefährden, von der Industrie mit immer schnelleren Brettern versorgt, höchstens andere Surfer. Zusammenstöße mit Personenschäden nehmen zu, doch versichert sind die wenigsten Fahrer.

Vielerorts wird Surfen verboten, obwohl sogar das Bayerische Verfassungsgericht geurteilt hat, daß Surfen ››verhältnismäßig umweltfreundlich‹‹ sei, und damit ein Grundrecht auf Surfen bestätigt hat. Die schleswig-holsteinischen Naturschützer wollen die Surfer von allen Binnengewässern an die Küsten verbannen. Der Deutsche Segelsurf-Verband hat zur Abwehr von Verboten bereits einen ››Arbeitskreis Surfjuristen‹‹ gegründet. Susanna Schöttmer, Leiterin der Rechtsabteilung des Deutschen Segler-Verbandes: ››Wir müssen Sachverständige werden, nur dann können wir unsinnige Verbote verhindern.‹‹

Peter Juppenlatz, *Stern*, Juli 1986, (gekürzt)

Anmerkungen

die meisten drängt es ans Wasser	die meisten wollen unbedingt ans Wasser
der Binnensee	ein See im Inland
aufwendig	teuer
der Inbegriff von Natur	die Natur in ihrer schönsten Form
(der Quell; literarisch) die Quelle	wo ein Fluß entspringt
das Zeichen der Unschuld	Zeichen einer Welt, die noch unverschmutzt und unverdorben war
begehren	etwas dringend haben wollen
(Schilf) das Schilfgras	eine Pflanze, die im Wasser wächst
das Schauermärchen	eine Geschichte, die Angst einflößt (vergleiche Märchen, z.B. Hänsel und Gretel, siehe Seite 52)
rasen	schnell fahren
die Surfkönner . . . von der Industrie mit immer schnelleren Brettern versorgt	die Surfkönner, die durch die Industrie . . . schnellere Bretter erhalten haben
der Zusammenstoß	die Kollision
der Schaden	bei einem Unfall gibt es oft Schaden, das heißt, Leute werden verletzt (Personenschaden) oder Sachen gehen kaputt (Sachschaden)
zunehmen	steigen
der Sachverständige	der Experte
der Nöck	ein Wassergeist

Worum geht's?

Aufgabe 1

Wofür ist das Surfbrett ein Symbol?

Surfbrett = a _____

b _____

Aufgabe 2

Suche die zutreffende Antwort.

1   Die meisten Deutschen fahren am liebsten:
    a   ans Meer.
    b   zu Parkanlagen.
    c   zu Binnenseen.

2   a   Surfer haben Vorrechte.
    b   Naturfreunde haben Vorrechte.
    c   Alle, die ans Wasser fahren,
       meinen, sie hätten Vorrechte.

3   Surfkönner gefährden
    a   andere Surfer.
    b   Schwimmer.
    c   Vögel.

4   a   Mehr
    b   Weniger
    c   Genau soviele (wie vor zehn
       Jahren)
    (Leute) werden jetzt durch Bretter verletzt.

5   Das Surfen ist
    a   nicht überall
    b   in Schleswig-Holstein und Bayern
    c   in vielen Gebieten
    verboten.

Übung macht den Meister!

Übung 1

Das Passiv

Setze ins Passiv.
Beispiel: Man gefährdet die Vögel.
    Die Vögel werden gefährdet.

1   Man erzählt Schauermärchen.

2   Man verletzte einen Badenden.

3   Man versorgt die Surfer mit immer
    schnelleren Brettern.

4   Man verbietet das Surfen.

5   Man gründete einen Segelsurf-Verband.

6   Man bestätigte ein Grundrecht auf Surfen.

Übung 2

Abgeleitete Nomen

Ergänze:

1   Wer Erholung sucht, ist ein _____.

2   Wer Deutsch als Muttersprache hat, ist
    _____.

3   Wer badet, ist _____.

4   Wer Jura studiert hat, ist _____.

5   Wer aus Bayern kommt, ist _____.

6   Wer etwas anfängt, ist _____.

7   Wer etwas gut kann, ist _____.

8   _____, ist ein Naturfreund.

9   _____, ist ein Sachverständiger.

10 _____, ist ein Abteilungsleiter.

Übung 3

Fälle und Artikel

Ergänze folgende Sätze; verwende dabei den
bestimmten/unbestimmten Artikel bzw. ein
Possessivpronomen (*mein, dein, sein* usw.) im
richtigen Fall.

Merke: bei einigen Beispielen mußt du auch eine
Präposition mit dem Artikel kombinieren!

1   Die meisten Deutschen fahren zu _____
    Binnenseen.

2   Sie verbringen _____ Wochenende in
    _____ Natur.

3   Sie fahren lieber _____ Wasser als zu
    _____ Rosengärten oder zu _____
    Parkanlage.

4   Es gibt _____ Brettboom in Deutsch-
    land.

5   Anfänger können _____ Kurs nicht
    halten, aber sie können auf _____ Brett
    stehen.

6   Surfer sieht man _____ Bodensee und
    auch _____ _____ Küste.

7   _____ Industrie versorgt sie mit immer
    schnelleren Brettern.

8   _____ „Arbeitskreis Surfjuristen" wurde
    _____ Segelsurf-Verband gegründet.

Übung 4

Pronominaladverb

Lies den Text durch und ersetze dann die unterstrichenen Wörter mit *darauf* usw.

Beispiel:
Sie stehen auf dem Brett . . . Sie stehen darauf.

1 Sie rasen weit <u>vom Ufer</u> entfernt.

2 Sie gefährden die Vögel <u>im Schilf.</u>

3 Sie werden <u>auf Autodächern</u> verzurrt sein.

4 Der Deutsche Segelsurf-Verband hat <u>zur Abwehr von Verboten</u> einen „Arbeitskreis Surfjuristen" gegründet.

Mache es jetzt umgekehrt, das heißt, ersetze *darauf, dadurch* usw. durch eine Präposition und ein Substantiv.

5 Sie streiten <u>darum.</u>

6 Ein Surfer wurde <u>dadurch</u> verletzt.

7 Die Deutschen haben ein Grundrecht <u>darauf.</u>

8 Sie erhielten <u>dabei</u> sechsmal soviel Zuspruch.

Surfer sind keine Umweltengel!

Worum geht's?

Höre die Tonbandaufnahme gut an.
1 Welche Probleme gibt es
    a   für den Surfer?
    b   für die Öffentlichkeit?
    c   für die Umwelt?
Mache dir Notizen.

2 Unter welchen Umständen kann es für Schwimmer gefährlich werden?

3 Mache eine Liste von Wörtern und Ausdrücken, die zeigen, was der Sprecher von Surfern hält.

Was sagt ihr dazu? G/K

1 *Rollenspiel*

Plant die Rollenspielszenen in Gruppen; spielt sie anschließend in der Klasse vor.

    a   Surfer haben Laarheim, einen kleinen Ort am Laarsee, entdeckt, und das Dorf ist über Nacht zu einem beliebten Ausflugsziel geworden. Der Gastwirt und die Ladenbesitzer freuen sich, aber einige Dorfbewohner, z.B. ein Rentnerpaar, ein Gemeinderat und ein Bauer sind alles andere als zufrieden.

    b   Ein Surfer stößt mit einem Badenden zusammen. Es handelt sich um einen sehr erfahrenen Surfer und jemand, der nicht sehr gut schwimmen kann. Der Unfall ereignet sich 20 Meter vom Strand. Nicht weit von der Unfallstelle steht ein Schild, auf dem die Worte „Surfen verboten" stehen. Es ist sehr heiß, die Sonne blendet. Am Strand und im Wasser wimmelt es von Menschen.
        Wen trifft die Schuld?

2 Welche Sportarten/Freizeitbeschäftigungen würdest du als „umweltfeindlich" bezeichnen? Welche Maßnahmen könnte man treffen, um sie umweltfreundlicher zu machen? Oder sollte man sie lieber verbieten?

Diskutiert die Fragen zunächst in Gruppen, und macht dann Notizen, damit ein Gruppensprecher die Ergebnisse in der Klasse vortragen kann. Diskutiert dann eure Gruppenergebnisse.

3 *Ergebnisprotokolle*

    a   Fasse anhand der Notizen die Diskussion in deiner Gruppe zusammen.

    b   Fasse aus dem Gedächtnis die Diskussionsschwerpunkte der Klasse zusammen.

Mein Sturz ins Ozonloch

Was eine Mutter heute erleben kann, wenn ihre Kinder sie mit einem falschen Putzmittel erwischen

Stellen Sie sich die Situation vor: Ich, Hausfrau und Mutter von vier Söhnen, habe im Wohnzimmer eins dieser modernen Sofas stehen. Wunderbar bequem und zartgrau. Das heißt, als ich es kaufte, war es zartgrau. Inzwischen hat es Flecken von Kakao, Buntstiften, Fettfingern – das übliche. Was tun?

Da läuft mir zufällig so ein Spezialreiniger über den Weg. Die Gebrauchsanweisung hat's in sich: „Reinigungsschaum auf eine kleine Fläche des zu reinigenden Möbelstückes auftragen. Schaum mit einem feuchten Schwamm immer wieder ausspülen. Vorsicht! Dose steht unter Druck. Nicht in offenes Feuer sprühen oder über 40 Grad erhitzen. Von Kindern fernhalten! Bei Kontakt mit Augen oder Schleimhäuten ist sofort ein Arzt aufzusuchen."

Was Gefährliches also. Die Hausfrau denkt logisch: Das müßte den Flecken den Garaus machen. Gekauft.

Zu Hause schüttele ich die Dose, halte sie senkrecht und sprühe einen Berg Schaum auf den Kakaofleck. Der Schaum zieht langsam ein. Ich nehme den angefeuchteten Schwamm und will gerade beginnen, mit kreisenden Bewegungen . . . „Mama, was machst du da?" ruft Sohn Nummer 3, Georg, 4 Jahre. „Das siehst du doch. Ich mache das Sofa sauber. Wie oft habe ich euch gesagt, ihr sollt keinen Kakao . . ."

Sohn Nummer 1, Julius, 9 Jahre, mischt sich ein: „Dieser Fleck ist überhaupt nicht von uns. Der ist von dir. Kaffee. Der Kakaofleck ist da drüben." „Ist ja wurscht, jedenfalls mache ich das jetzt sauber."

Julius, argwöhnisch: „Was ist denn das für 'ne Dose?"

„Reinigungsmittel. Laß das stehen, das ist giftig. Und paß auf das Baby auf, daß es nicht drangeht."

„Sag mal" – Sohn Nummer 1 denkt nach – „sag mal, ist das nicht so'ne Büchse, wo so'n Gas drin ist, das die Luft kaputtmacht?"

„Ja, ja, ich glaube schon." Kreisende Bewegungen mit dem Schwamm.

„Du hast doch gesagt, man darf solche Büchsen nicht nehmen. Weil sie die – wie heißt das gleich?"

„Atmosphäre."

„Genau, weil sie die Atmosphäre kaputtmachen."

Ich lasse den Schwamm sinken. „Nun sieh doch mal . . ."

Jetzt aber ist Sohn Nummer 2, David, 5 Jahre, dran: „Wieso geht denn die – wie heißt das noch mal – kaputt?"

Julius erklärt geduldig: „Die Atmosphäre ist wie'n Luftballon, der geht ganz rum um die Erde, und da ist die Luft drin. Und wenn man mit solchen Büchsen sprüht, kommt ein Loch rein. Und die ganze Luft geht raus."

David: „Fällt dann der Himmel runter, wenn der Luftballon verwelkt?"

„Du bist ja doof", sagt Julius. „Wenn die Luft raus ist, müssen wir alle sterben." Stille. Dann Georg: „Auch die Bäume, sterben die auch?" „Alle. Alle Menschen und alle Tiere und alle Blumen und alle Käfer und überhaupt alles. Ohne Luft kann nix leben – nix."

Es wird Zeit, daß ich mich einmische. „Sieh mal, Georg, von einer Dose geht die Atmosphäre nicht kaputt. Und sonst benutze ich sowas ja nicht."

Julius läßt nicht locker. „Aber die anderen Leute benutzen sie immer. Gegen Mücken und alles. Du hast selber gesagt, das müßte verboten sein, weil es die Luft kaputtmacht, und jetzt nimmst du es!"

Ich kehre zu meinen kreisenden Bewegungen zurück und sage ruhig: „Es ist ja nur heute. Weil ich doch das Sofa saubermachen muß."

„Wenn alle Leute sagen, es ist ja nur heute, dann sind es trotzdem ganz viele, und die Luft geht kaputt, und dann müssen wir alle sterben."

David: „Alle?"

Julius mit Grabesstimme: „Alle."

Schluchzen. Dann heult Georg los: „Ich will aber nicht sterben!"

David fällt ein: „Ich auch nicht!"

Nun heulen sie beide. Das Baby weiß nicht, was los ist, und heult trotzdem mit. Es ist zum Steinerweichen.

Julius übertönt den Lärm: „Siehst du, Mama, das hast du davon. Wir wollen alle nicht sterben! Und du findest das Sofa wichtiger als uns!" Ich schraube den Verschluß auf die unglückselige Dose. Mißtrauisch überwachen die Kinder mein Tun. Wenigstens haben sie aufgehört zu heulen.

Das Sofa hat einen Fleck mehr, nämlich dort, wo jetzt langsam wieder die ursprünglich zartgraue Farbe zum Vorschein kommt. Aber ich habe wenigstens meinen Beitrag zum Schutz der Umwelt geleistet, wenn auch nicht freiwillig.

Bleibt ein Problem: Was fange ich mit der angebrochenen Dose an? Erst mal stelle ich sie in den Schrank, ganz hinten. Und dort bleibt sie wohl, bis irgendwas erfunden wird, das schädliches Treibgas unschädlich vernichtet. Seien wir guter Hoffnung.

Claudia Meyn, *Eltern*, September 1988

Grundrecht Umweltschutz

In Bonn wird darüber diskutiert, ob der Umweltschutz in der Bundesrepublik Deutschland künftig Verfassungsrang haben soll. Der STERN plädiert dafür, daß der Umweltschutz ein Grundrecht wird wie das Recht auf Meinungsfreiheit, Persönlichkeitsschutz und das Grundrecht auf Leben und körperliche Unversehrtheit. Der STERN bittet seine Leser, den Bundeskanzler aufzufordern, die Initiative zu ergreifen und ein Gesetz zur Ergänzung des Grundgesetzes einzubringen.

Stern, Juli 1984

UMWELTSCHUTZ
WIR KÄMPFEN UM JEDEN MILLIMETER

DIE GRÜNEN

Was sagt ihr dazu? G/E/K

1 Diskutiert die folgenden Aspekte in Gruppen, tauscht anschließend eure Ergebnisse aus.

    a Wie wichtig ist Umweltschutz für die Menschen?

    b Welchen Unterschied gibt es zwischen „normalen" Gesetzen und Grundrechten?

    c Welche praktischen Auswirkungen würde ein solches Grundrecht haben, wenn es nicht alle Staaten eines Kontinents haben?

    d Kennst du andere Initiativen, dem Umweltschutz mehr Gewicht zu geben, und wie beurteilst du deren Erfolgsaussichten?

2 Nehmt zum Plädoyer des *Stern* Stellung. Schreibt dazu Leserbriefe.

Sehr geehrter Herr Bundeskanzler,
bitte ergreifen Sie die Initiative
und bringen Sie ein Gesetz zur Änderung
des Grundgesetzes ein, das zum
Ziel hat, dem Umweltschutz den Rang
eines Grundrechts zu geben.

Mit freundlichen Grüßen

Der Zuckerfresser

»Was schreibst'n da?«

Ich sah auf und konnte ihn nicht richtig erkennen, er stand genau in der Sonne. Ich setzte mich auf und drehte mich um.

»Biste von der Zeitung oder isses nurn Brief?«

Der Junge war mager wie ein neugeborenes Kalb. Seine hellblau ausgeschossene Turnhose hatte ein ziemliches Loch auf dem linken Bein. Das Flachshaar klebte naß am Kopf. Er hatte aber keine Gänsehaut. Das Wasser war bestimmt nicht wärmer als fünfzehn Grad. »Kalt, was?« sagte ich. Was soll man schon sagen. »Willst du dich abrubbeln?«

Er rieb sich trocken und verdreckte mein Frottiertuch mit dem elenden Teerzeug. Die sollten endlich mal verbieten, daß die Dampfer draußen auf See ihr mistiges Öl außenbords pumpten und den ganzen Strand versauten.

»Wo kommst du denn her?«

Der Junge machte eine unbestimmte Bewegung. ich schätzte ihn auf sieben Jahre. Vielleicht auch acht.

»Kannst du denn schon lesen?«

Ich merkte sofort, daß das eine völlig verkehrte Frage gewesen war. Er beantwortete sie überhaupt nicht.

»Wo gehsten jetzt hin? Hause?«

»Nein, Tee trinken, im Witthüs.«

Er zog die Augen etwas zusammen und leckte sich über die Lippen. Nicht wegen des Tees, ich erfuhr erst später, warum.

»Komm mit«, sagte ich, »wenn du Lust hast.«

Er drehte sich jedoch um und stakte durch den Sand davon.

Oben auf dem Kliff wehte es heftiger. Auf den Aussichtsbänken der Kurverwaltung saß niemand, und auch die Straßen des Ortes lagen ausgestorben, kahl und hölzern. In acht Tagen würden die Pensionen schließen, Schluß der Nachsaison. Endlich ging ich zurück und die Hauptstraße landeinwärts, bis ich links abbiegen mußte zum Witthüs. Sicherlich eines der ältesten Häuser hier, weiß gekalkt, niedrig, das Rieddach sah recht verwittert aus. Im Hause gab es kleine Kabäuzchen, hier kredenzten appetitliche Bajaderen alle möglichen Teesorten, den echten ›Friesischen‹ mit Rahm und Kandis, russischen Tee mit kandierten Kirschen und Preiselbeeren, grünen Indientee. Ich mag den russischen am liebsten. Die hübschen Geishas waren Studentinnen und nutzten ihre Semesterferien aus für ihren Geldbeutel. Eine gehobene Atmosphäre, nicht ohne Fröhlichkeit.

»Schreibst ja doch!«

Da war der Junge wieder. Ein Auftritt wie beim Zauberkünstler, die Hexerei aus dem schieren Nichts. Er hatte jetzt eine Cordhose an und eine überraschend flotte Strickjacke aus Schafwolle. Er zeigte auf den Kandiszucker.

»Schenkste mir den?«

»Türlich. Nimm nur. Auch Tee?«

Er wollte keinen Tee, nur den Zucker. Er zerbiß ihn krachend in die Musik hinein. Mir lief es bei diesem Geräusch den Rücken hinauf.

»Biste fertig oder machste weiter?«

»Mit was?«

»Schreiben.«

»Nein«, sagte ich und gab auf, der Musik zuzuhören.

»Keine Lust mehr. Außerdem taugt die Geschichte nichts.«

»Ich könnte ganz gern nochn bißchen Zucker haben!«

Die runde, blonde Geisha kam vorbei, blieb stehen und sah den Jungen an.

»Was!« sagte sie. »Bist *du* wieder hier?«

Der Junge stieß mich an, und wir waren uns einig über die Qualität dieser Frage.

»Lassen Sie ruhig. Wir kennen uns schon lange, und ich habe ihn eingeladen.«

»So?«

Es blieb ihr nichts übrig, als höflich zu bleiben: »Ich wundere mich nur, daß der ganze Junge nicht aus purem Zucker besteht. Dieser Zuckerfresser! Unser bester Kandiskunde. Ein Nassauer ist er, das ist er!«

»Genau!« sagte der Junge ungerührt und sah das Mädchen ernst an. Dann zu mir:

»Soll ich wohl noch was haben?«

»Klar.«

»Was machsten nacher?«

»Weiß nich. Vielleicht lesen, zu Hause, oder nochmal am Strand längsgehen. Weiß noch nicht, mal sehn.«

»Haste Lust?«

»Wozu?«

»Was zeigen.«

»Was denn?«

Der letzte Zucker verschwand. Dieses Mal ging der Beißkrach in einer Fortissimostelle von Scarlatti unter. Das störte den Jungen jedoch nicht.

Die Sonne war nun untergegangen, und es wurde schnell dämmrig. Meine Geisha brachte eine Tischkerze.

»Noch mal Zucker?«

Sie konnte sich die Frage nicht verkneifen.

»Genau«, sagte der Junge und wurde noch ernster, wenn das überhaupt möglich gewesen wäre.

»Bitte sehr, wenn er mag«, sagte ich.

Das Mädchen brachte eine, wie mir schien, größere Portion.

»Den kute ich.« Er steckte den Kandis in die Hosentasche: »Is für Teetje!«

»Wer is denn Teetje? Dein Freund?«

»Wirste sehn. Kommste mit?«

Ich bezahlte, und wir gingen.

Draußen war es finster geworden, und der Wind hatte noch zugenommen. Das Rauschen der Brandung war bis hierher zu hören.

Zwischen zwei Dünenzügen hob sich der Weg sacht aufwärts, dann steiler, und schließlich mußten wir um einen mächtigen Betonklotz herumklettern. Unter dem Klotz zwängten wir uns in ein enges Loch. Völlige Dunkelheit.

»Warte mal!«

Die Stimme des Jungen klang dumpf vor mir. Ein Streichholz zischte, dann schwebten zwei Kerzenflammen schräg über mir.

»Komm rauf, hier isses!«

Der Junge hatte sich eine Ecke mit getrocknetem Seegras ausgepolstert. Er saß da, ließ die Beine baumeln und blickte mir mit großen, lichtglänzenden Augen entgegen.

»Das is Teetje«, sagte er. »Friß!«

Die Möwe sperrte den Schnabel auf und schluckte ein Stück Kandiszucker. Sie ruckte mit dem Hals. Gerechter Strohsack, ein zweiter Zuckerfresser, und was für einer! Die Möwe sah arg mitgenommen aus, der linke Flügel hing und der Vogel lahmte; die Federn waren teerverkleistert.

Der Junge nahm die Möwe auf den Schoß und streichelte sie. Das Tier hielt den Schnabel halb geöffnet und fiepte zart. Die schwarzen Knopfaugen mit den hellen Ringen beobachteten mich unbeweglich.

»Tag, Teetje!« sagte ich.

Die Möwe fraß den Zucker, und der Junge streichelte sie.

»Hab ich vor ner Woche gefunden, is ganz zahm, von Anfang an. Machsten leiden?«

»Genau«, sagte ich.

➤

Der Junge verzog das Gesicht, und nun sah ich ihn zum erstenmal leise lächeln.

Wir haben uns in den nächsten Tagen noch zweimal getroffen, der Junge, die Möwe und ich. Ich sorgte dafür, daß den beiden der Kandis nicht ausging. Drei Tage bevor ich abfahren mußte, blieb der Junge plötzlich aus. Ich wartete vergebens. Erst am Abend des letzten Tages kletterte ich allein in den Höhlenbunker. Die Seegrasecke war leer.

Ich ging nochmals zurück zum Witthüs, trank meinen Abschiedstee, hörte der Musik zu und dachte ein wenig nach.

Dann endlich fragte ich meine blonde Geisha beiläufig, ob sie den Jungen irgendwann in den letzten Tagen gesehen habe.

»Den Zuckerfresser?« sagte sie und horchte in Richtung des Plattenspielers; das ›Erwachen heiterer Gefühle auf dem Lande‹ – ›Allegro ma non troppo‹ mußte gleich zu Ende sein. Es dauerte aber doch noch ein bißchen, da wir beide auf einen Trugschluß hereingefallen waren, und sie sah mich geradeheraus an: »Ja- der! Am Dienstag war er hier und ging sofort wieder. Er sagte ›Teetje is tot, un ich eß kein Zucker mehr‹. Wissen *Sie*, wer Teetje ist?«

Jens Rehn, *Nach Jan Mayen*, Luchterhand Literaturverlag, 1981 (gekürzt)

Anmerkungen

das Kabäuzchen	ein kleines Zimmer
kredenzen	feierlich anbieten, (hier) einschenken
die Bajadere	eine indische Tempeltänzerin
die Geisha	eine japanische Gesellschafterin in Teehäusern
der Nassauer	(umgangssprachlich) jemand, der auf anderer Leute Kosten lebt
„Den kute ich"	den hebe ich auf, (hier) ich esse ihn jetzt nicht
gerechter Strohsack!	meine Güte! (Ausdruck der Verwunderung)

Was steckt dahinter?

1 Wo spielt die Geschichte?

2 Was hat der Junge gerade gemacht, als der Erzähler ihn zum ersten Mal trifft?

3 Der Junge spricht kein korrektes Deutsch. Kannst du seine Dialogbeiträge ergänzen bzw. in hochsprachliche Schriftform bringen? Welchen Eindruck erweckt die Redeweise des Jungen bei dir?

4 Vergleiche die Sprache des Erzählers im Dialog mit dem Jungen mit der im Rest der Geschichte. Was bedeutet der Unterschied?

5 Wie beschreibt der Erzähler das Restaurant? Vergleiche die Beschreibung mit der des Strandes. Was bedeutet der Unterschied?

6 Warum interessiert sich
    a   der Junge für den Erzähler?
    b   der Erzähler für den Jungen?

7 Woher kennt die Serviererin den Jungen? Was hält sie von ihm?

8 Wie kommt es deiner Meinung nach, daß der Erzähler, der Junge und Teetje sich näher kennenlernen?

9 Warum hört der Junge auf, Zucker zu essen?

10 Wie findest du den Titel?

11 Gefällt dir die Geschichte? Warum (nicht)?

Gattungszuordnung

Lies die untenstehenden Definitionen literarischer Gattungen. Welche Definition paßt am besten zu „Der Zuckerfresser"?

1 *Erzählung*

Eine erzählende Dichtung, meist in Prosa, die dem Umfang nach zwischen Kurzgeschichte und Roman steht. Ist sie strenger im Aufbau, heißt sie Novelle.

2 *Kurzgeschichte*

Prosaerzählung zwischen Novelle und Anekdote oder Skizze. Sie gibt meist einen entscheidenden Lebensausschnitt des Helden wieder oder führt eigenwillig aufgefaßte Vorgänge des Alltags zu einem unerwarteten, die Phantasie des Lesers anregenden Schluß.

3 *Lyrik*

Ursprünglich von der Lyra begleitete Gesänge. Später erweiterte sich der Begriff dahin, daß Lyrik als die dritte Hauptgattung der Poesie neben die Epik und Dramatik trat. Lyrik ist oft Selbstaussage eines dichterischen Ichs, das . . . das persönliche Ich des Dichters oder ein fiktives Ich sein kann. Lyrik als poetische Gattung bedient sich der Stilmittel von Rhythmus, Metrum, Vers, Reim, Bild und anderen.

4 *Anekdote*

Ursprünglich eine mündlich überlieferte Einzelheit zur Kennzeichnung einer bekannten Persönlichkeit . . . wesentlich ist knappe Form und meist scharfe, oft witzige Pointierung.

5 *Märchen*

Eine Volkserzählungsgattung von hohem Alter und weltweiter Verbreitung. Das Märchen soll eine wunderbare Welt darstellen, in der sich alle Sehnsüchte des Menschen nach Glück erfüllen. Wie die geographisch bestimmbare Umwelt, so verschiebt sich in Märchen auch das Verhältnis zur Zeit (z.B. hundert Jahre Dornröschenschlaf). Als Erzählformen vom Märchen abzugrenzen sind die Sage und die Legende.

6 *Glosse*

Eine knappe Meinungsäußerung, der Kurzkommentar in Presse, Hörfunk oder Fernsehen; allgemein ist eine Glosse eine mündlich oder schriftlich geäußerte, beiläufige, oft polemische Bemerkung (Randbemerkung).

Brockhaus Enzyclopädie, Verlag F.A. Brockhaus, Wiesbaden

Thema 4 Gesundheit

Was heißt hier gesund?

Lieber reich und gesund...

Wer kaum krank ist, für den ist „Gesundheit" kein Thema. Oder doch? jo-Mitarbeiterin Vera Friederich befragte Jugendliche, ob und wie sie sich gesund und fit halten:

Heike

Heike, 20 Jahre:
Um gesund und fit zu bleiben, versuche ich, mich vernünftig zu ernähren und Sport zu treiben. Ich esse viel Vollwertkost und gehe regelmäßig ins Fitneßstudio.

Ralf, 14 Jahre:
Ich esse zwar viel Gemüse und Obst, aber nicht mit dem Gedanken: „Das tue ich, weil es gesund ist", sondern weil es mir schmeckt. Ich achte eigentlich nicht besonders auf meine Gesundheit, was die Ernährung anbelangt. Und Sport treibe ich nur, weil es mir Spaß macht – ich spiele viel Tischtennis.

Isabell, 23 Jahre:
Für meine Gesundheit tue ich eigentlich sehr wenig. Ich treibe kaum Sport, nur meine Ernährung habe ich umgestellt – vor ungefähr fünf Jahren schon. Seitdem esse ich wenig Fleisch und viel Vollkornprodukte.

Ute, 18 Jahre:
Ich versuche auf meine Gesundheit zu achten, indem ich viel Obst und Gemüse und nicht so viel Fleisch esse. Was den Sport betrifft – nur wenig Gymnastik.

Andre, 16 Jahre:
Ich jogge ab und zu, um das Gefühl zu haben, etwas für meine Gesundheit zu tun. Ich esse wenig Fleisch und nehme viel Vitamine in Form von Obst und Gemüse zu mir. Erst seit etwa einem Jahr achte ich ein wenig auf das, was ich esse – seit es mir bewußt geworden ist.

Katharina, 16 Jahre:
Ich treibe viel Sport und ernähre mich mit Vollwertkost. Ich achte auf vitaminreiches Essen und esse nicht so viel Fleisch. Unsere ganze Familie achtet sehr auf die Gesundheit, und ich finde es toll, daß meine Mutter unsere Ernährung so umgestellt hat.

Steffen

Holger

Ute

Isabell

Eddi

Diana

Diana, 17 Jahre:

Meine Eltern sind auf dem „Gesundheits-Trip". Nur Diät! Diätsäfte, leichte Butter, meistens Vollkornbrot usw. Weil es mir schmeckt, esse ich das zwar auch, doch normalerweise würde ich nicht besonders auf das achten, was ich esse. Außerdem ist das auch eine Geld- und Zeitfrage. Würde ich alleine wohnen, würde ich mich wahrscheinlich nur aus Dosen ernähren.

Sana, 23 Jahre:

Ich betreibe Krafttraining und Aerobic, um mich fit zu halten. Auf das Essen achte ich nicht so sehr. Denn da ich arbeite, bin ich mehr oder weniger auf das Kantinenessen angewiesen, außer man nimmt sich gesunde Sachen von zu Hause mit - nur dazu fehlt morgens meistens die Zeit.

Stefanie, 17 Jahre:

Ich treibe viel Sport! Ich spiele Basketball und gehe reiten. Auf meine Ernährung achte ich nicht besonders - ich habe mir darüber auch keine Gedanken gemacht.

Caroline, 16 Jahre:

Wir alle in unserer Familie ernähren uns ziemlich gesund. Bei uns gibt es wenig Fleisch und kaum Zucker, viel Gemüse und Obst. Wenn ich für mich selber kochen müßte, würde ich sehr genau auf das Essen achten. Denn ich habe festgestellt, daß ich mich viel wohler fühle, seitdem meine Eltern die Ernährung umgestellt haben.

Robert, 14 Jahre:

Ich sage zwar immer, ich treibe nun Sport und achte auf meine

Ernährung, doch die guten Vorsätze sind nach einer Woche wieder vergessen. Meinen Freunden geht es ähnlich. Wir finden uns dann im McDonald wieder.

Murat, 14 Jahre:

Ich glaube, ich lebe ziemlich gesund! Ich esse wenig Fleisch und viel Salat und trinke jeden Morgen meinen O-Saft. Sport betreibe ich nur in der Schule - den brauche ich aber.

Eddi, 17 Jahre:

Ich esse, was meine Mutter kocht. Sie achtet auf gesundes Essen - es gibt viel Salat und Gemüse. Wenn sie nicht da ist, esse ich, was am schnellsten geht. Irgend etwas, das man schnell in den Backofen schieben kann, z.B. Canneloni, Pizza usw. Das ist bestimmt nicht besonders gesund, und manchmal denke ich mir, daß es ganz schön eklig ist, was ich esse.

Sylvia, 14 Jahre:

Ich achte sehr auf meine Gesundheit. Ich trinke viel Milch, esse viel Obst und Gemüse. Auch gehe ich dreimal die Woche zum Leichtathletikunterricht und gehe rudern.

Teddy, 15 Jahre:

Was ich für meine Gesundheit tue? Ich esse, was mir schmeckt! Zum Beispiel viel Sojafleisch. Meine Mutter kauft immer im Naturkostladen ein - ich habe mich inzwischen daran gewöhnt. Müßte ich mir mein Essen selber zubereiten, würde ich trotzdem kein Fleisch essen - und schon gar kein Schweinefleisch, das mit allen

möglichen Medikamenten vollgespritzt ist. Ich kann sagen, daß ich auf meine Gesundheit achte. Ich spiele außerdem dreimal die Woche Volleyball, mache Bodybuilding und natürlich den Schulsport.

Steffen, 24 Jahre:

Ich treibe wohl ein wenig Sport, spiele Tennis, fahre Rad, betreibe Wassersport - aber ganz besonders auf meine Gesundheit achten tue ich eigentlich nicht. Auch ernähre ich mich ziemlich normal. Das einzige, worauf ich achte, ist, nicht so viel Zucker zu essen und nicht jeden Tag Junkfood zu mir zu nehmen, wie z.B. McDonald etc. Ein Gesundheitsfanatiker jedenfalls bin ich nicht!

Holger, 24 Jahre:

Aus Spaß, um mich fit zu halten, spiele ich Fußball. Was die Ernährung betrifft, achte ich nur darauf, wenig Fett und kein Schweinefleisch zu essen.

Ingo, 14 Jahre:

Ich achte überhaupt nicht auf meine Gesundheit. Sport habe ich früher mal betrieben. Ich esse das, was mir schmeckt. Ob das jetzt Salat, Pizza, Fleisch oder etwas anderes ist, ist mir egal.

Eric, 16 Jahre:

Ich mache mir nicht besonders viel Gedanken um meine Gesundheit - ich denke mir, das hat noch ein bißchen Zeit. Ich esse viele Weizenkeime, viel Salat, viel Pizza und eine Menge Big Macs. Sport ist nur in der Schule angesagt.

Übung macht den Meister!

Nebensätze

Ergänze mit einem Nebensatz bzw. Nebensätzen.

1 Murat glaubt, daß . . .

2 Eddi achtet nicht selbst auf gesundes Essen, obwohl . . .

3 Teddy ißt kein Schweinefleisch, da . . .

4 Er wird wohl gesund sein, zumal . . .

5 Es ist Ingo egal, ob . . .

6 Steffen achtet nicht besonders auf seine Gesundheit. Er wird gesund bleiben, solange . . .

7 Caroline fühlt sich erst wohler, seit . . .

8 Robert ißt immer wieder ungesund, obwohl . . .

9 Ralf ernährt sich gesund und treibt Sport, weil . . .

10 Diana spottet über ihre Eltern, weil . . .

FRAGEBOGEN
RICHTIG ESSEN

Bitte kreuzen Sie einfach überall die zutreffende Antwort an. Es liegt natürlich in Ihrem eigenen Interesse, möglichst wahrheitsgetreue Antworten zu geben. Bei Fragen, bei denen Sie sich in der Beantwortung unsicher fühlen, wählen Sie bitte jene Antwort, die Ihnen am ehesten entspricht.

1 **Wie wird das Gemüse auf ihrem Speiseplan vorwiegend zubereitet?**

- [ ] vorwiegend roh
- [ ] vorwiegend erhitzt, gebunden
- [ ] beides etwa gleich häufig

2 **Bitte kreuzen Sie alle Produkte der folgenden Liste an, die Sie häufiger selbst zu sich nehmen.**

- [ ] Vollkornmehl und Backwaren daraus
- [ ] Vitaminsäfte, Vitamintabletten
- [ ] Schlankheitspräparate, Präparate für Sportler

3 **Was verwenden Sie vorwiegend zum Süßen?**

- [ ] weißen oder braunen Zucker
- [ ] Süßstoff
- [ ] Honig, unerhitzte Dicksäfte

4 Bitte tragen Sie hier einige Angaben zu Ihrer Person ein.

a) Geschlecht
☐ weiblich
☐ männlich

b) Alter
☐ bis 35 Jahre
☐ 36 bis 50 Jahre
☐ 51 bis 65 Jahre
☐ älter

c) Wie schwer arbeiten Sie körperlich?
☐ leicht
☐ mittelschwer
☐ schwer

d) Größe (in cm)

e) Gewicht (in kg)

5 Wie viele Mahlzeiten (inkl. Zwischenmahlzeiten) nehmen Sie im Durchschnitt pro Tag zu sich?

☐ 1 bis 2
☐ 3 bis 4
☐ 5 bis 6
☐ 7 und mehr

6 Wie lange dauert bei Ihnen im Durchschnitt eine Hauptmahlzeit?

☐ bis 15 Minuten
☐ 16 bis 30 Minuten
☐ mehr als 30 Minuten

7 Haben Sie Probleme mit Übergewicht?

☐ ja, ich möchte abnehmen
☐ nein, ich fühle mich wohl mit meinem Gewicht

8 Ernähren Sie sich vegetarisch?

☐ nein
☐ ja, mit Eiern und Milchprodukten
☐ ja, streng vegetarisch

9 Welche Art von Milch bevorzugen Sie?

☐ Vorzugsmilch
☐ pasteurisierte Milch
☐ H-Milch, Kakaotrunk
☐ ich trinke gar keine Milch

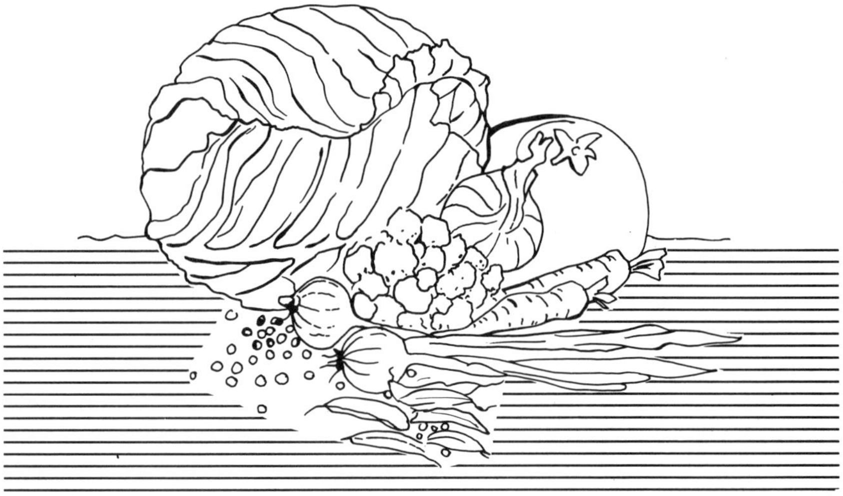

10 Im folgenden kreuzen Sie bitte an, wie oft Sie jedes der angeführten Nahrungsmittel pro Woche zu sich nehmen.

	täglich, fast täglich	3–4 mal pro Woche	1–2 mal pro Woche	seltener
A Frühstück				
Weiß-, Graubrot, Brötchen, Toast	☐	☐	☐	☐
Vollkornbrot, Vollkornbrötchen	☐	☐	☐	☐
Butter, Margarine	☐	☐	☐	☐
Marmelade, Honig	☐	☐	☐	☐
Käse	☐	☐	☐	☐
Wurst, Schinken	☐	☐	☐	☐
Müsli (trocken)	☐	☐	☐	☐

Frischkornmüsli, Keime	☐	☐	☐	☐
Milch (mindestens 1 Tasse)	☐	☐	☐	☐
Joghurt, Sauermilch, Kefir, Quark	☐	☐	☐	☐

B warme Hauptmahlzeit

Suppe	☐	☐	☐	☐
Fleisch- oder Fischspeise	☐	☐	☐	☐
stärkereiche Beilage (Kartoffeln, Nudeln, Reis, Klöße)	☐	☐	☐	☐
Gemüse, gegart	☐	☐	☐	☐
Gemüse, roh	☐	☐	☐	☐
Salat	☐	☐	☐	☐
Süßspeise als Dessert	☐	☐	☐	☐
Speisen aus Vollgetreide, Milcherzeugnissen, Hülsenfrüchten, Kartoffeln	☐	☐	☐	☐
Obst- und Quarkspeisen, ungezuckert	☐	☐	☐	☐

C weitere größere Mahlzeit

Weiß-, Graubrot, Brötchen, Toast	☐	☐	☐	☐
Vollkornbrot, Vollkornbrötchen	☐	☐	☐	☐
Wurst	☐	☐	☐	☐
Käse	☐	☐	☐	☐
andere Milcherzeugnisse	☐	☐	☐	☐
Rohkostsalat	☐	☐	☐	☐
Gemüse, gegart	☐	☐	☐	☐
Vollkornspeisen	☐	☐	☐	☐

D Zwischenmahlzeiten, Spät-Mahlzeiten

süße Gebäcke, Kuchen, Snacks	☐	☐	☐	☐
Schokolade, Pralinen, Bonbons, Eis	☐	☐	☐	☐
Milch, Milchprodukte	☐	☐	☐	☐
Vollkorngebäck, Vollkornkekse	☐	☐	☐	☐
vegetarische Imbisse (Tortillas, Frühlingsrolle)	☐	☐	☐	☐
Obst	☐	☐	☐	☐

11 Bitte kreuzen Sie bei jedem der folgenden Getränke an, wie oft Sie es zu sich nehmen:

	regel-mäßig	manch-mal	selten	nie
frisch gepreßte Fruchtsäfte, naturreiner Saft, ungesüßt	☐	☐	☐	☐
Fruchtsäfte und Fruchtsaftgetränke (Handelsware, gesüßt)	☐	☐	☐	☐
Limonaden, Colagetränke	☐	☐	☐	☐
Mineralwasser	☐	☐	☐	☐
Bier	☐	☐	☐	☐
Wein, Sekt	☐	☐	☐	☐
Spirituosen	☐	☐	☐	☐
Likör	☐	☐	☐	☐

Was sagt ihr dazu?   G/K

1   Klärt in Gruppen, welche der Antworten zu den einzelnen Fragen richtige, weniger richtige oder falsche Eßgewohnheiten bezeichnen.

2   Füllt den Fragenbogen (jeder für sich allein!) aus.
Tauscht ihn dann mit einem Nachbarn oder einer Nachbarin aus und vergleicht eure Eßgewohnheiten.
Könnt ihr sagen, wer insgesamt richtiger ißt?
Könnt ihr Ratschläge geben, welche Eßgewohnheiten euer Nachbar bzw. eure Nachbarin verbessern sollte? Schreibt ihm bzw. ihr drei Vorschläge auf den Fragebogen auf.

3   Vergleicht die Lebensmittel, die auf den deutschen Tisch kommen, mit dem typischen Angebot bei euch.
Eßt ihr anders? Eßt ihr richtiger?

Warum sie mittags nicht essen

Warum klagt der Besitzer eines Restaurants darüber, daß hauptsächlich abends die Feinschmecker zu ihm kommen, mittags hingegen nicht? Abends voll, mittags leer, wie ist das zu erklären?

Mittags steht das Personal herum, wartet auf Gäste, hat nichts zu tun. Abends dann das Gegenteil, die Tische besetzt, der Service in Hetze, der überlastete Küchenchef nur deshalb nicht mürrisch, weil sein Gemüt ein sonniges ist.

Warum dieses Mißverhältnis, fragt sich täglich der Besitzer. Liegt es an mir? Liegt es an der Speisenkarte? Liegt es an den Preisen? Oder an der Lage im Bochumer Süden? Läßt sich mit Werbung etwas tun, damit die Leute auch mittags erscheinen?

All diese Fragen lassen sich nunmehr beantworten. Wie ich der Studie „Ernährung und Kreativität 2000" entnehme, passen die Deutschen sich immer mehr internationalen Gepflogenheiten an. Die Bedeutung des Mittagessens verschwindet. Der alte Dreitakt Frühstück, Mittagessen, Abendbrot verschiebt sich in Richtung Abendessen.

Es seien besonders junge Doppelverdiener, berufstätige Frauen mit qualifizierter Berufsausbildung, soziale Aufsteiger, vermögende Etablierte, Ältere mit überdurchschnittlich hohem Einkommen. Manche essen auch nicht jeden Abend, weil sie auf ihre schlanke Taille achten. Aber oft.

Denn, wie die Studie erkennen läßt, sind für diese zwölf Millionen Restaurantbesucher Essen und Trinken inzwischen das drittwichtigste im Leben, gefolgt von Urlaub, Kleidung, Sport, Kultur. Wichtiger sind ihnen nur noch Wohnen und ein gepflegtes Erscheinungsbild.

Wenn sie also mittags nicht zum Essen kommen, dann wohnen sie wahrscheinlich oder pflegen sich.

Das tun sie aber nur, wenn sie nicht arbeiten oder an einem Arbeitsessen auf Spesen teilnehmen müssen.

WAZ, 2.11.89

Anmerkungen

der Feinschmecker	der Gourmet
in Hetze	in Eile
mürrisch	schlechtgelaunt
weil sein Gemüt sonnig ist	weil er gutmütig ist
die Gepflogenheiten	die Gewohnheiten
vermögend	reich
das Erscheinungsbild	bestimmte Eigenschaften bzw. Gewohnheiten, die Menschen eines besonderen Typs charakterisieren
(Arbeitsessen auf Spesen) auf Spesen essen	auf Kosten der Firma essen

Worum geht's?

1 Welches Problem haben Restaurantbesitzer?

2 Was befürchten sie?

3 Wie haben sich die deutschen Eßgewohnheiten geändert?

4 Warum sind Doppelverdiener, berufstätige Frauen usw. imstande, abends zum Essen auszugehen?

5 Was ist der Studie „Ernährung und Kreativität 2000" zufolge am wichtigsten für die Deutschen?

Übung macht den Meister!

Nebensätze vor Hauptsätzen

Ergänze mit einem passenden Hauptsatz (gegebenenfalls + Nebensatz). Achte auf die Inversion im Hauptsatz.

1 Weil mittags keine Gäste kommen, . . .

2 Weil abends viele Gäste kommen, . . .

3 Da es ein „Mißverhältnis" gibt, . . .

4 Weil der Küchenchef ein sonniges Gemüt hat, . . .

5 Weil für viele Ausländer das Abendessen wichtiger als das Mittagessen ist, . . .

6 Weil viele Deutsche auf ihre Taille achten, . . .

Was sagst du dazu?

1 Wann wird die Hauptmahlzeit bei dir zu Hause eingenommen?

2 Welche Faktoren bestimmen, wann die Hauptmahlzeit eingenommen wird?

3 Vergleiche die Eßgewohnheiten einer deutschen Familie, die du kennst, mit den Eßgewohnheiten deiner eigenen Familie – gibt es tatsächlich so etwas wie „internationale Gepflogenheiten", was das Essen anbelangt?

ALLES ÜBER DIE RICHTIGE ERNÄHRUNG

Die Ernährungswissenschaftlerin Barbara Konitzer korrigiert das Vorurteil, gesunde Ernährung könne einfach nicht schmecken.

Gesunde Ernährung und gutes Essen sollten in sich so stimmig sein, wie die Elemente eines Bauwerks. Das Fundament ist die ausgewogene Versorgung des Körpers mit Eiweiß, Kohlenhydraten, Fett und Ballaststoffen. Die Vitamine bilden gewissermaßen das Dach. Das sollte dicht sein. Zu einem Haus, in dem man sich wohlfühlen kann, gehören aber auch eine ansprechende Innengestaltung und eine persönliche Einrichtung. Beim Essen sind das die Lebensmittelqualität, die Lebensmittelzusammensetzung der Speisen, die Geschmacks-, Geruchs-, und Farbkompositionen. Natürlich soll das Bauwerk auch in die Landschaft passen.

Kurzum, gutes Essen ist mehr als die Zufuhr von Nährstoffen. Es hat etwas mit Ästhetik, Freude, emotionaler Befriedigung, mit Gesunderhaltung und einer ökologischen Lebensweise zu tun.

Vollwerternährung heißt die Ernährungsform, die all das umfaßt. Die Vollwerternährung ist – wie auch aus den Zielen ersichtlich wird – keine Diät. Bei der Vollwerternährung geht gutes Essen mit gesunder Ernährung Hand in Hand. Eine Ernährung für Anspruchsvolle. Ernährungsphysiologisch wertvolle Lebensmittel, möglichst fremd- und schadstoffarm, werden hier schmackhaft und abwechslungsreich zubereitet. Wer den Unterschied von Treibhaus-Tomaten und Tomaten kennt, wie sie unter freiem Himmel in der Sonne gereift sind, weiß, was grundsätzlich mit Qualität und Genuß gemeint ist. Wenn Sie auch schon einmal so ein wäßriges, blasses Etwas, das sich Schweineschnitzel nennt, in Ihrer Pfanne hatten, werden Sie ein Stück Fleisch von Tieren aus artgerechter Haltung zu schätzen wissen. Pflanzliche Lebensmittel, vor allem Vollgetreide, Gemüse, Kartoffeln und Obst, aber auch Milch und Milchprodukte sind ideal. Je bunter der Teller, umso besser. Fleisch und Eier spielen in der Vollwertküche eine untergeordnete Rolle.

Bio, 9–10/1988 (gekürzt)

Worum geht's?

1   Wie könnte man diese Tabelle ergänzen?

	Bauwerk	Ernährung
Fundament		Versorgung mit Eiweiß
Dach		

Warum verwendet Barbara Konitzer das Bild vom Bauwerk für die Ernährung?

2   Was bedeutet der Begriff „Vollwerternährung"? Warum darf man Treibhaus-Tomaten nicht als Vollwerternährung bezeichnen?

3   Was ist Voraussetzung für wertvolles Fleisch im Sinne der Vollwerternährung?

Übung macht den Meister!

Übung 1

Proportionalsätze

Bilde Sätze nach folgendem Muster:

Je bunter der Teller, umso besser (ist es).

1 Je mehr er ißt, umso dicker _____ .

2 Je natürlicher das Essen, _____ .

3 Je _____ Auswahl, _____ Freude am Essen.

4 Je später _____ Abend, _____ Gäste (suche diesen Spruch im Wörterbuch).

Übung 2

Ergänze:

1 Nicht nur der Geschmack, sondern auch _____ ist wichtig beim Essen.

2 Man braucht nicht nur Eiweiß, sondern _____ .

3 Vollwerternährung ist _____ Zufuhr von Nährstoffen _____ Versorgung des Körpers mit naturbelassenen Lebensmitteln.

Über Kichererbsen kann Christoph nur kichern!

Christoph und Katrin unterhalten sich über die Vollwerternährung.

Worum geht's?

Aufgabe 1

Höre dir die Tonbandaufnahme an, dann kreuze die richtige Antwort an.

1 Christoph
  a ißt Sachen, die schmecken, aber nicht gesund sind.
  b ißt keine Sahnetorte.
  c ißt am liebsten Müsli.
  d greift dauernd zur Körnermühle.

2 Wichtig ist für Katrin,
  a wie sie sich fühlt.
  b daß sie auf Fleisch verzichtet.
  c daß sie Vitamintabletten einnimmt.
  d daß sie nur Früchte ißt.

Aufgabe 2

1 Wie lautet Christophs Motto?

2 Wie versucht er seine Argumente zu begründen?

3 Welche Wirkung hat Katrins Meinung nach die Vollwerternährung auf die Gesundheit?

4 Vergleiche den Artikel „Alles über die richtige Ernährung" mit dem, was Katrin unter „Vollwerternährung" versteht. Welche Gemeinsamkeiten und Unterschiede weist der Vergleich auf?

Was sagt ihr dazu? G/K

Rollenspiel

Setzt das Gespräch fort! Einer/Eine von euch vertritt Katrins, der/die andere Christophs Standpunkt.

Erweitere deine Sprachkenntnisse!

Was paßt zusammen?

Angestellte:	. . . arbeiten in eigenen Unternehmen (Spezialbegriff: „die Praxis" bei Rechtsanwälten und Ärzten) im Produktions-, Handels- und Dienstleistungsbereich.
Arbeiter:	. . . verrichten meist Schreibtischtätigkeiten von einfachen Verwaltungstätigkeiten bis zu umfangreichen Planungen und Entscheidungen. Sie arbeiten für ein „Gehalt".
Selbständige:	. . . sind die überwiegende Zahl der Mitarbeiter des öffentlichen Dienstes, also des Bundes, der Länder und der Gemeinden. Sie haben in der Regel ein „Dienstverhältnis" auf Lebenszeit, aber auch eine besondere „Treuepflicht" gegenüber ihrem Dienstherrn, (und nach herrschender Meinung in der BRD deshalb z.B. kein Streikrecht). Sie erhalten eine „Besoldung".
Beamte:	. . . verrichten meist eine körperliche Tätigkeit. Sie arbeiten für einen „Lohn".

Worum geht's?

1   Was bietet die AOK?

2   Wer kann Mitglied der AOK werden?

3   Fasse die Informationen über die AOK in einem kurzen Text zusammen.

Trendsetter mit Milliardenbudget

ÖKOTYPEN

Das Image vom grünen Müsli-Freak im handgestrickten Pullover stimmt nicht mehr. Umweltbewußtes Handeln ist salonfähig geworden. Das beweist eine Studie des SINUS-Instituts für Marktforschung in Heidelberg. Die Trendsetter in Sachen Umwelt sind anspruchsvolle Kunden: Gefragt sind kulinarische Genüsse aus naturgemäßem Anbau und Solaranlagen auf dem Dach. Neben der Umweltfreundlichkeit müssen aber auch die Qualität und die Ästhetik der Produkte stimmen.

Umsonst gelitten

Graues Brot, magere Wurst, Yoga und Fußmärsche: Im Kampf gegen den Herzinfarkt bringen Heidelberger Uni-Ärzte den Bürgern der Nachbarorte Eberbach und Wiesloch „kreative Gesundheitsvorsorge" bei.

„Es ist wunderbar", schwärmt Frau Dr. med. Helga Malchow, „in Eberbach sind wir überall drin." Die dynamische Ärztin, angestellt in der Abteilung „Klinische Sozialmedizin" der Universität Heidelberg, reist jede Woche mehrmals die 32 Kilometer neckaraufwärts, um die Eberbacher Bürger bei der Fahne zu halten: Die 16 000 Einwohner der einst Freien Reichsstadt und 21 000 Bewohner der unweit gelegenen Gemeinde Wiesloch sind ausersehen, „in freier Entfaltung ... die Gegebenheiten am Wohnort zur Förderung von Gesundheit und zur Verhütung von Krankheit zu nutzen".

In Eberbach und Wiesloch praktizieren Sozialmediziner, die sich bisher traditionsgemäß auf die Beobachtung des Patientenverhaltens beschränkt haben, erstmals im großen Rahmen eine „Interventionsstrategie": Das Ziel heißt „Verhütung und Abbau von Risikofaktoren für Herz und Kreislauf". Ein für allemal sollen die 37 000 Auserwählten „elf risikoreichen Lebensgewohnheiten" Lebewohl sagen:

Zigarettenrauchen, Bewegungsmangel, überkalorischer Ernährung, übersteigertem Fett- und Salzkonsum;
zu wenig Schlaf, zu wenig Entspannung und Kontemplation;
zuviel Konflikten, Hetze und Überlastung.

Das Programm, „kommunale Prävention" genannt, beruht auf Freiwilligkeit und trägt seinen Lohn — versprechen jedenfalls die Heidelberger Doktoren — in sich: Am Ende dieses Jahrzehnts sollen die gefürchteten Zivilisationskrankheiten in Eberbach und Wiesloch meßbar seltener sein.

Doch bis dahin ist es ein weiter Weg, und viel Schweiß wird in den Neckar fließen. Erfolg, lehren die Initiatoren, kann das Programm nur haben, wenn die Bürger abspecken und sich Beine machen lassen: „Ein gesundes Herz durch gesunde Beine."

Zugleich müssen die Probanden lernen, daß kalorien- und fettarmes Essen nicht fade, sondern „köstlich schmeckt". Der gute Rat: „Mit den Augen essen, langsam und mit Genuß", auch wenn es nur wenig ist und nach Kleie schmeckt. Nicht vergessen: „Gelassenheit vom Streß befreit!"

Mit diesen Sprüchen machen sich die Eberbacher seit fast zwei Jahren gegenseitig Mut. Motor der Vorsorge-Kampagne ist eine aus rund 20 Personen bestehende „Arbeitsgemeinschaft Gesundheitsvorsorge", alles ehrenamtliche Helfer, die auf das Heidelberger Konzept schwören. Hausfrau Elisabeth Müller, seit Dezember 1979 dabei: „Wir arbeiten mit viel Idealismus an der Zielsetzung, unsere Mitmenschen zu motivieren, in Selbstverantwortung die Gesundheit zu pflegen." Zu diesem Zweck bietet die „Arge" Entwöhnungskurse für Übergewichtige und Raucher an, lädt in Koch- und Wandergruppen ein und unterhält eine „Problemgesprächsgruppe".

Gegenseitig verrät man sich Rezepte für „fettarme Tortencreme", denkt über das wirklich gesunde Schulbrot nach und testet graues Brot und magere Wurst. Vor allem aber müht sich die Arge Gesundheit, bei den Mitbürgern „Risikofaktoren" aufzuspüren.

Etlichen medizinischen Laien sind mittlerweile Zweifel gekommen, ob die Interventionsstrategie wirklich auf gesicherten wissenschaftlichen Erkenntnissen beruht. Dabei hat der Eingreiftruppe die im letzten Herbst publizierte wissenschaftliche Erkenntnis, daß mäßiges Übergewicht das Leben gar nicht verkürzt, sondern verlängert, besonders geschadet.

„Da ist mein Vertrauen in die Ärzte völlig zusammengebrochen", bekennt eine harmonisch gerundete Ex-Arge-Streiterin. „Das darf doch nicht wahr sein! Was hab' ich umsonst gelitten!"

Solche Enttäuschungen haben in Eberbach Tradition. So versprach schon 1584 (wie heute noch im Kurhaus plakatiert) Georgius Marius, „genannt Mayer von Würzburg, Doctor, medicus zu Heidelberg", den gutgläubigen Eberbachern, daß die Mineralquelle unweit ihrer Stadtmauer wahre Wunder wirke. Sie „sey dem Magen und dem Hertzen dienlich", führe sogar „Silber und Goldt", und wer sich regelmäßig daran labe, der erreiche „ein gesundt Endtschafft, bey Raht gelehrter Arzte".

Das Brünnlein fließt heute noch. Sein Wasser enthält in Wahrheit weder Gold noch Silber, sondern Kochsalz, Schwefel, Blei und Strontium. Freiwillig trinkt niemand mehr davon.

Anmerkungen

die **Entfaltung**	die Entwicklung
die **Gegebenheiten**	die vorhandenen Umstände, der bestehende Zustand
die **Förderung**	die Verbesserung
die **Verhütung**	die Prävention
(die **Überlastung**) **überlastet sein**	überarbeitet sein, zuviel zu tun haben
die **Kleie**	ein Ballaststoff
auserwählen	aussuchen
beruhen auf	basieren auf
pflegen	(hier) auf die Gesundheit achten
sich verraten	(hier) sich mitteilen
aufspüren	finden
beibringen	lehren, unterrichten
bei der Fahne halten	als Gruppe zusammenhalten

Worum geht's?

Sind folgende Behauptungen richtig oder falsch? Korrigiere die falschen, indem du die jeweils richtige Aussage aus dem Text zitierst.

1 Frau Dr. med. Helga Malchow behandelt die Eberbacher Bürger in der Uni-Klinik.

2 Sie hat schon einmal eine Interventionsstrategie versucht.

3 Die Bürger werden von der Klinik bezahlt.

4 Die Bürger müssen auf überkalorische Ernährung verzichten.

5 Den Teilnehmern am Vorsorgeprogramm wird geraten, sich mehr zu bewegen.

6 Man tauscht Rezepte aus.

7 Die Eberbacher Bürger dürfen nur essen, was Kleie enthält.

8 Die Arbeitsgemeinschaft besteht aus Sozialmedizinern.

9 Gefürchtete Zivilisationskrankheiten werden nach Meinung der Ärzte nicht so häufig vorkommen.

10 Die Bürger versuchen, sich gegenseitig anzuregen.

Erweitere deine Sprachkenntnisse!

Aufgabe 1

Suche im Text die Ausdrücke, die diesen englischen Ausdrücken entsprechen:

1 We've got a finger in every pie

2 on a big scale

3 once and for all

4 . . . is its own reward

5 That day is a long way off

6 swear by the plan

7 to promote health

8 . . . based on solid scientific foundations.

Aufgabe 2

Drücke anders aus:

1 sich regen hilft jedem

2 Dr. Malchow schwärmt

3 ein gesundes Herz durch gesunde Beine

4 Interventionsstrategie

5 Probanden

6 mit den Augen essen

7 Gelassenheit

8 ehrenamtliche Helfer

9 Entwöhnungskurse.

Aufgabe 3

Versuche mit Hilfe eines Lexikons festzustellen, in welchem Verhältnis folgende Wörter zueinander stehen.

Beispiel: sich entspannen = to relax   gespannt = tense, excited   Spannung = tension

Überlastung	Last	belästigen
Gelassenheit	lässig	lassen
geschadet	schade!	beschädigt
Entspannung	gespannt	Hochspannungsraum
Sprache	Gespräch	Spruch
meßbar, Bemessung	Maßstab	Ausmaß
Lebensgewohnheiten	verwöhnt	gewöhnlich
kalorienarm	verarmen	ärmlich

Übung macht den Meister!

Übung 1

Nebensätze mit **indem** *(Mittel und Zweck)*

Vervollständige jeden Satz, indem du einen Nebensatz mit *indem* verwendest:

1 Man pflegt die Gesundheit, . . .

2 Raucher bauen Risikofaktoren ab, . . .

3 Helga Malchow hält die Bürger bei der Fahne, . . .

4 Die Eberbacher machen sich Mut, . . .

5 Die Bürger specken ab, . . .

6 Die Arge Gesundheitsvorsorge versucht die Bürger zu motivieren, . . .

7 Früher arbeiteten Sozialmediziner, . . .

8 Man bemüht sich auch um die richtige Ernährung der Kinder, . . .

9 Die Ärztegruppe betreibt „kreative Gesundheitsvorsorge", . . .

10 Man gewöhnt sich an fettarmes Essen, . . .

Übung 2

Ergänze:

Die Ärzte, die in Eberbach und Wiesloch arbeiten, sind _____ Sie versuchen, die Bürger zu überzeugen, daß viele ihrer Lebensgewohnheiten _____ sind. Es fällt den Bürgern schwer, auf kalorienarmes Essen umzusteigen, weil es ihnen nicht _____. Die Arge Gesundheitsvorsorge ist bemüht, die Bürger zu _____, und bietet Kurse für Leute an, die _____ wollen. Nicht alle glauben, daß die Interventionsstrategie _____. Einige meinen, daß Übergewicht der Gesundheit nicht _____. Im _____ Jahrhundert versprach Georgius Marius den Eberbachern, daß eine Mineralquelle in der _____ von der Stadtmauer gesundheitsfördernd sei und daß sie sogar Silber und Gold enthalte. In Wahrheit sind aber nur _____-stoffe, wie z.B. Blei und Strontium darin.

Dr. med. A. Großfuß
Facharzt für
Orthopädie

Ein Brief von Herrn Löffler

Bochum, den 12.3.85

Lieber Mr. Bonnyman!

Herzlichen Dank für Ihren lieben Brief zu Weihnachten und Ihre guten Wünsche zum Neuen Jahr, die wir aufs herzlichste erwidern, wenn auch verspätet. Meine Frau und ich waren nämlich von Mitte Dezember über Weihnachten und Neujahr 8 Wochen lang in der Weserbergland-Klinik (Rehabilitationsklinik) in Höxter, um uns nach Operationen wieder fit machen zu lassen. Ich mußte seit August 82 schon mehrere Hüftgelenkoperationen über mich ergehen lassen, während meiner Frau eine Wirbelsäulenoperation im letzten Oktober nicht erspart blieb. Wie Sie daraus ersehen, sind wir von Schicksalsschlägen nicht verschont geblieben. Trotzdem geht es jetzt wieder so langsam aufwärts, so daß wir bald wieder einmal an eine Urlaubsreise denken können, die wir wegen der Krankheiten schon seit 3 Jahren nicht mehr machen konnten. Inzwischen bin ich natürlich jetzt Rentner.

Unser Achim wohnt noch bei uns und macht in diesen Tagen sein schriftliches Abitur. Bis Mitte Mai wird er damit fertig sein. Er wird jetzt 20 Jahre alt und ist selbstverständlich noch ledig. Er will nach dem Abitur erst eine maschinentechnische Lehre machen und dann evtl. an der Fachhochschule Maschinenbau studieren.

Marliese wohnt mit ihrer Familie in der Nähe von Ludwigshafen und gibt halbtags Unterricht

in Mathematik und Chemie an einer Realschule.
Ihr Mann ist im Pharmawerk „Boehringer" in
Mannheim im Management tätig. Sie haben
zwei Mädchen im Alter von 10½ und 7½ Jahren.

Sigrid wohnt mit Familie in Aachen. Leider sind
sie und ihr Mann beide fertig ausgebildete Lehrer
ohne Anstellung, da z.Zt. fast kaum Junglehrer
nen eingestellt werden. Sie haben inzwischen auch
einen Sohn von fast 2 Jahren, an dem wir sehr
viel Freude haben.

Die Uni-Bo. steht auch noch und hat jetzt schon
etwa 30000 Studenten. Auch die Gaststätte
„Grunewald" gibt es noch. Inzwischen ist auch die
Schinkelstraße mit vielen neuen Häusern weiter-
gebaut worden.

Ich hoffe, daß ich Ihre Fragen ausreichend be-
antwortet habe. Wir haben uns jedenfalls
riesig gefreut, daß wir wieder einmal von
Ihnen gehört und sie uns noch nicht vergessen
haben. Kommen Sie denn evtl. nochmals nach
Bochum, um uns zu besuchen? Wir würden uns
sehr freuen!

Wir wünschen Ihnen weiterhin mit Ihrer Familie gute Gesundheit und viel Glück!

Herzliche Grüße, auch an Ihre Frau und Tochter

Ihre
Familie Löffler

Anmerkung

der Schicksalsschlag	das Unglück

Worum geht's?

Worum geht es in den Absätzen des Briefes? Finde eine Überschrift für

1 den ersten.

2 den zweiten bis vierten.

3 den fünften.

Erweitere deine Sprach-kenntnisse!

Aufgabe 1

Drücke anders aus:

1 fit   5 evtl.

2 Management   6 z.Zt.

3 aufwärts   7 riesig.

4 ledig

Aufgabe 2

Wie ist das Verhältnis von Herrn Löffler zum Empfänger des Briefes? Beachte Anrede und Schluß. Wie haben sie sich wohl kennengelernt?

Aufgabe 3

Drücke die unterstrichenen Wendungen anders aus:

1 Der Briefträger <u>läßt auf sich warten</u>.

2 <u>Laß mal von dir hören</u>, wenn du angekommen bist.

3 Herr Löffler hat geschrieben. Er <u>läßt dich grüßen</u>.

4 Möchtest du, daß ich dir helfe? Das <u>läßt sich machen</u>.

5 Diesen Zug haben wir verpaßt! Es <u>läßt sich nicht mehr ändern</u>.

6 Ich weiß, daß Manfred zu Hause ist. Er <u>läßt sich verleugnen</u>.

7 Ich bin auch müde, aber wir müssen die Sache heute noch erledigen. Also <u>laß dich nicht hängen</u>.

8 Früher hat Klaus dem Ulrich immer geholfen, aber jetzt <u>läßt er ihn hängen</u>.

Übung macht den Meister!

Übung 1

Perfekt

Was ist in der Zwischenzeit passiert? Schreibe Sätze im Perfekt.

1 Herr und Frau Löffler . . . Höxter (*sein*).

2 Marlies . . . Ludwigshafen (*umziehen*).

3 Sigrid . . . Lehrerausbildung (*abschließen*).

4 Sie . . . keine Anstellung (*bekommen*).

5 Achim . . . 20 (*werden*).

6 Herr Löffler . . . Rentner (*werden*).

7 Marlies . . . Realschulstelle (*bekommen*).

8 Uni Bochum . . . (*sich vergrößern*).

9 Man . . . Schinkelstrasse (*ausbauen*).

Übung 2

Infinitiv mit lassen

Ergänze die Sätze mit *lassen* und den angeführten Verben im Infinitiv.

Beispiel: Sie waren in der Rehabilitationsklinik und ließen sich fit machen.

1 Er war beim Augenarzt und . . . Augen

2 Er ging zum Friseur und . . . Haare

3 Er hatte Magenschmerzen und . . . Tabletten . . .

4 Er hatte Zahnschmerzen und . . . Zahn . . .

5 Er wollte sich zum Kurs anmelden und . . . Anmeldungsformular . . .

6 Er ging zur Bank und . . . DM 500 . . .

ziehen   auszahlen   untersuchen   schneiden verschreiben   zuschicken

Was sagst du dazu?

Schreibe einen Brief an einen deutschen Bekannten, den du seit einiger Zeit nicht mehr gesehen hast. Erzähle, was in der Zwischenzeit passiert ist.

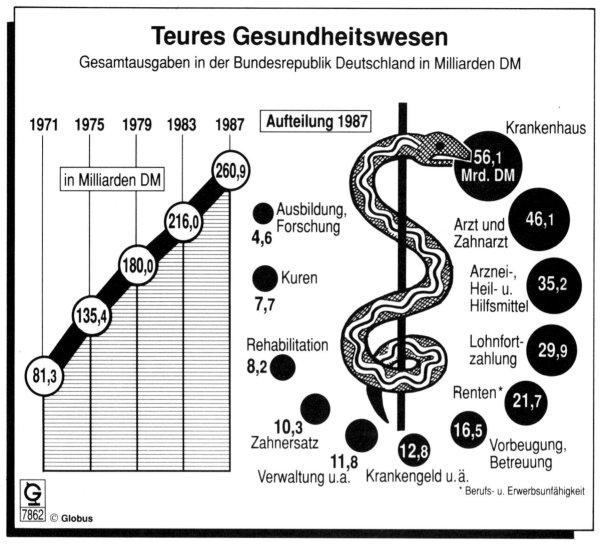

Teures Gesundheitswesen
Gesamtausgaben in der Bundesrepublik Deutschland in Milliarden DM

1971 1975 1979 1983 1987

Aufteilung 1987

Krankenhaus

260,9

in Milliarden DM

216,0

180,0

135,4

81,3

56,1 Mrd. DM

Ausbildung, Forschung
4,6

Kuren
7,7

Rehabilitation
8,2

10,3
Zahnersatz

11,8
Verwaltung u.a.

12,8
Krankengeld u.ä.

46,1
Arzt und Zahnarzt

Arznei-, Heil- u. Hilfsmittel
35,2

Lohnfort-zahlung
29,9

Renten*
21,7

16,5
Vorbeugung, Betreuung

* Berufs- u. Erwerbsunfähigkeit

G
7862 © Globus

WAZ, 22.09.89

Was steckt dahinter?

1   Was zeigt das Schaubild?

2   Welche Entwicklung macht das Schaubild deutlich?

3   Erkläre die einzelnen Ausgabeposten.

4   Wofür wurde das meiste Geld ausgegeben?

5   Wieviel Prozent der Gesamtausgaben entfielen auf Behandlung und Medikamente?

6   Vergleiche die Ausgaben für Behandlung mit denen für Vorbeugung und Betreuung. Was fällt dir auf?

Was sagst du dazu?

„Vorbeugen ist besser als heilen".
Nehmt zu diesem Spruch Stellung.

Rauchen macht schlapp

In Deutschland ist das Rauchen nach dem Gesetz zum Schutz für Jugendliche unter 16 Jahren verboten. Über die negativen Folgen für die Gesundheit spricht man in der Schule und zu Hause. Trotzdem: Etwa jeder fünfte Jugendliche zwischen 14 und 17 Jahren raucht regelmäßig, genauso viele rauchen gelegentlich. Die Hälfte aller jugendlichen Raucher beginnt damit schon im Alter von 12 bis 14 Jahren. Jungen greifen meistens früher zur Zigarette als Mädchen.

Sabine hat ihre erste Zigarette auf der Party von Eva geraucht. Als Stefan ihr einen „Glimmstengel" anbot, hat sie sich nicht getraut, „nein" zu sagen. Alle anderen rauchten ja auch. Da wollte Sabine nicht auffallen. Und dann gab es ihr ein Gefühl von Sicherheit. Mit der Zigarette in der Hand, das fand Sabine sehr schick. Viele Jugendliche greifen zur Zigarette, um ihre Nervosität oder Unsicherheit zu überspielen. Aber auch dann, wenn die Belastung durch Schule oder Ausbildung besonders groß wird, wird geraucht. Viele denken: Das Rauchen beruhigt in schwierigen Situationen und bei Streß. Auch lernt man leichter andere Leute kennen, wenn man Feuer oder Zigaretten anbietet.

Jugendmagazin, 4/1989

Anmerkungen

schlapp	energielos
der Glimmstengel	die Zigarette (umgangssprachlich)

Was sagst du dazu? E/K

1 Aus welchen Gründen wird laut diesem Artikel geraucht? Gibt es deiner Meinung nach auch andere Gründe?

2 „Auch lernt man leichter andere Leute kennen, wenn man Feuer oder Zigaretten anbietet". Wie beurteilst du dieses Argument?

3 Was würde dich am besten vom Rauchen abhalten und warum?
  a ein Film (z.B. über Krebs)
  b ein Buch
  c eine Anti-Raucher-Aktion

4 Wird
  a bei dir zu Hause
  b in der Schule
  c an anderen Orten, wo du dich mit Freunden und Bekannten triffst,
über die negativen Folgen des Rauchens gesprochen? Welche Wirkung hat das auf dich (gehabt)?

WEG MIT DER KIPPE

Wie wär's mit einer Zigarette?
Nein danke, ich doch nicht!
Die Nichtraucher
sind auf dem Vormarsch.
Wollen Sie auch aufhören?
Wir sagen Ihnen wie

Ein kalter Wind weht derzeit den Rauchern ins Gesicht. Die Abkehr vom blauen Dunst liegt eindeutig im Trend, die Warnungen der Ärzte vor Lungenkrebs, Raucherbein und Herzinfarkt beginnen langsam zu fruchten. Zum Beispiel USA: Wer dort im Büro oder auf einer Party genüßlich am Glimmstengel zieht und den anderen die Luft verpestet, gilt als asozial und wird regelrecht diskriminiert. Rauchen ist out. Und das ist gut so, wie die Statistik beweist. In Amerika sind die Zahlen der Herz-Kreislauf-Erkrankungen bereits rückläufig. Andere Länder ziehen mit konsequenten Anti-Raucherkampagnen nach: In China gibt es Nichtraucherzonen auf Bahnhöfen, in der Schweiz ist das Nikotin aus öffentlichen Gebäuden und Behörden verbannt.

5 faule Ausreden

EINS Ich habe einen Bekannten, der ist 85, kerngesund und dabei Kettenraucher.

Das stimmt nur teilweise. Durch eine Umstellung des Stoffwechsels besteht zwar eine Neigung, überflüssige Pfunde anzusetzen, doch diese Phase dauert nur kurze Zeit. Gefährlich für die Figur ist vielmehr die vermehrte Lust zu essen.

ZWEI Man liest doch immer wieder, daß Rauchen gar nicht so schädlich sei, außerdem raucht sogar mein Arzt, und der müßte es doch eigentlich wissen.

Natürlich gibt es so etwas. Aber: Ausnahmen bestätigen die Regel, sie widerlegen sie nicht. Ansonsten gilt: Mit jedem Lungenzug verkürzen Sie Ihre Lebenserwartung.

Auch das ist nicht richtig. Es gibt genügend Menschen, die jahrzehntelang geraucht haben und von einem Tag auf den anderen die Zigaretten für immer beiseite legten.

Laut Auskunft vieler Ärzte kann oft nur ein dramatisches Ereignis, beispielweise ein Herzinfarkt, der Vernunft zu ihrem Recht verhelfen. Deshalb heißt es „Weg mit der Zigarette", bevor sich dauerhafte Gesundheitsschäden einstellen. Wenn Sie nun diese gedanklichen Barrieren überwunden haben, ist es Zeit, Ihre Zigaretten für immer wegzulegen. Wie stellen Sie das an?

DREI Ich rauche schon seit vielen Jahren, es lohnt sich nicht mehr aufzuhören.

Wissenschaftlich ist die Schädlichkeit des Rauchens bewiesen und wird von keinem seriösen Mediziner bestritten. Trotzdem ist gelegentlich das Gegenteil zu lesen. Es ist jedem selbst überlassen, sich zu überlegen, welche Interessen hinter solchen Falschmeldungen stecken könnten.

VIER Ich nehme schrecklich zu, wenn ich nicht mehr rauche.

FÜNF Ich rauche schon so lange und so viel, da besteht doch keine Chance, daß ich für immer aufhören kann.

Das ist medizinisch falsch und widerlegt. Es lohnt sich immer, je früher desto besser. Zahlreiche Folgen des Rauchens, zum Beispiel chronische Bronchitis oder Blutgefäßverengungen, bessern sich schon kurze Zeit nach dem Nikotinstopp.

Bio, 9-10/1988

Anmerkungen

die Kippe	die Zigarette (vergleiche „Glimmstengel")
derzeit	jetzt

Worum geht's?

1 Was bedeutet:

    a „Ein kalter Wind weht derzeit den Rauchern ins Gesicht."?

    b „Die Abkehr vom blauen Dunst liegt eindeutig im Trend."?

2 Erkläre mit eigenen Worten, wie Raucher in den USA betrachtet werden.

3 Was beweist, daß der Verzicht auf das Rauchen positive Folgen hat?

Was paßt zusammen?

Auf der vorigen Seite sind fünf faule Ausreden und mögliche Antworten darauf. Suche für jede eine entsprechende Antwort aus und lies sie in der Klasse vor.

Was sagt ihr dazu? G/K

Rollenspiel

Plant und spielt in Gruppenarbeit einen Dialog mit einem Raucher/einer Raucherin, z.B. mit

1 deinem Onkel, Raucher seit 40 Jahren, im Streßberuf.

2 deinem Freund/deiner Freundin, Gelegenheitsraucher.

3 deiner Nachbarin, 25, sie hat zwei kleine Kinder, sie hat Gewichtsprobleme.

4 einem Gast, den du eingeladen hast, einige Tage im Elternhaus zu verbringen. Er/sie raucht in seinem/ihrem Schlafzimmer, und das hat deine Mutter nicht gern.

„Staatlich formulierte Lügen"

Interview mit Günter Wille, dem Vorsitzenden des Deutschen Zigarettenverbandes

SPIEGEL: Der Gesetzgeber macht offenbar ernst, der Zigarettenindustrie drohen neue Werbeverbote. Haben die Tabakkonzerne die Bonner Politiker nicht mehr im Griff?

WILLE: Es ist weniger ein Bonner als vielmehr ein europäisches Thema. Die EG-Bürokraten wollen um jeden Preis Werbeverbote durchsetzen.

SPIEGEL: Auch von deutschen Politikern werden die Brüsseler Pläne begrüßt.

WILLE: Für sie ist der Raucher offensichtlich ein Schwachkopf, der nicht in der Lage ist, vernünftige Entscheidungen zu treffen. Irgendwann wird man versuchen, ihm die Zigarette ganz zu verbieten. Am Ende muß er sein Glas Bier heimlich trinken. Das machen wir nicht mit.

SPIEGEL: Die Zigarette ist ja nicht zu Unrecht in Verruf geraten. Lungenkrebs und Raucherbein beeindrucken Sie nicht?

WILLE: Mich beeindruckt vor allem, daß nicht zur Kenntnis genommen wird, daß auch Nichtraucher Lungenkrebs und Gefäßerkrankungen bekommen können. Die erwachsenen Menschen wissen sehr genau, daß übertriebener Genuß von Tabak, Alkohol, Süßigkeiten und Kaffee ein Risiko ist. Jedes Gesundheitsrisiko dem Tabak allein anzulasten, ist darum unehrlich. Im übrigen, Nichtraucher werden auch krank.

SPIEGEL: Sie starten jetzt eine regelrechte Kampagne gegen Bonner Politiker und die Bürokratie in Brüssel. Da werden Raucher zum Wahlboykott aufgerufen und EG-Bürokraten als Totengräber der Marktwirtschaft beschimpft. Was soll denn damit erreicht werden?

WILLE: Richtig ist, daß wir die Raucher politisch mobilisieren wollen. Es gibt 18 Millionen Raucher in der Bundesrepublik, die sind ja auch Wähler. Wir sagen ihnen lediglich: Schaut euch genau an, was die Politiker mit euch vorhaben. Sie bekämpfen Tabak und Raucher, weil ihnen die Phantasie zur Lösung der wirklichen Probleme unserer Gesellschaft fehlt; und sie werben selber für ihre Interessen uneingeschränkt auf Kosten des Steuerzahlers, während sie es der Wirtschaft verbieten wollen. Das nenne ich Heuchelei.

SPIEGEL: Warum finden sich die Tabakkonzerne nicht mit den Rahmenbedingungen ab, die ihnen von der Politik gesetzt werden?

WILLE: In der Bundesrepublik gibt es schon genug Einschränkungen in der Zigarettenwerbung. Das reicht. Jetzt wollen uns die EG-Bürokraten auch noch zwingen, den Verbraucher bewußt falsch zu informieren.

SPIEGEL: Wie denn das?

WILLE: Wir sollen, würden die EG-Pläne wahr werden, in unserer Werbung behaupten, daß Tabakgenuß zwangsläufig zu bestimmten Krankheiten führt. Auf Plakaten und in Anzeigen müssen wir dann drucken: „Rauchen verursacht Krebs" oder „Rauchen tötet".

SPIEGEL: Falsch ist das nicht.

WILLE: Das ist Unsinn. Wir wissen doch, daß Herz-Kreislauf-Krankheiten oder Krebs leider jeder bekommen kann, egal ob Raucher oder nicht. Darum werden wir uns an der Verbreitung staatlich formulierter Lügen nicht beteiligen.

SPIEGEL: Wie wollen Sie die Anti-Tabak-Parolen denn verhindern, wenn die EG-Werbebeschränkungen geltendes Recht werden?

WILLE: Soweit darf es nicht kommen. Andernfalls würden wir möglicherweise ganz auf Werbung verzichten. Dann müßte die Werbewirtschaft, einschließlich Zeitungen und Zeitschriften, auf 500 Millionen Mark jährlich verzichten. Jetzt sind vernünftige Politiker gefragt.

Der Spiegel, 27/1989, (gekürzt)

Worum geht's?

Aufgabe 1

Wer sagt sinngemäß was? *Der Spiegel* oder Herr Wille?

1   Krankheiten werden nicht allein durch Tabak verursacht.

2   Der Tabak hat einen schlechten Ruf.

3   Man soll die Zigarettenwerbung nicht noch weiter limitieren.

4   Raucher werden gebeten, nicht zu wählen.

5   Rauchen verursacht Krebs.

Aufgabe 2

Was paßt in Günter Willes Argumentation zusammen?

Herr Wille möchte nicht,	daß zuviel Tabak und Alkohol der Gesundheit schaden.
Politiker starten eine Kampagne gegen Raucher,	weil die EG-Bürokraten die Verbraucher falsch informieren wollen.
Erwachsene wissen,	weil sie keine Phantasie haben.
Herr Wille ruft die Raucher zum Boykott auf,	daß neue Werbebeschränkungen in Kraft treten.

Erweitere deine Sprachkenntnisse!

Suche die Ausdrücke, die den englischen Ausdrücken entsprechen.

1 Don't the Bonn politicians have the tobacco firms under control any more?

2 We're not going along with that

3 EEC bureaucrats are taken to task for putting a nail in the coffin of the economy

4 That's what I call hypocrisy

·5 . . . if the EEC plans became a reality

6 That's nonsense

7 . . . whether he smokes or not

8 we need reasonable politicians

Übung macht den Meister!

Übung 1

Nebensätze mit daß

Ergänze mit einem Nebensatz.

1 Herr Wille sagt, daß (*unehrlich, jedes Risiko*).

2 Herr Wille sagt, daß (*die Politiker; Tabak und Rauchen*).

3 Herr Wille ist dagegen, daß (*Verbraucher, falsch informieren*).

4 Herr Wille fürchtet, daß (*falsche Warnungen*).

5 Herr Wille behauptet, daß (*auch Nichtraucher*).

6 Herr Wille droht, daß (*Werbewirtschaft*).

Übung 2

Fragesätze als Nebensätze

Ergänze mit einem Fragesatz als Nebensatz.

Der *Spiegel*-Reporter fragt,

1 ob (*Lungenkrebs, Raucherbein*).

2 was (*erreicht*).

3 warum (*Tabakkonzerne*).

4 wie (*Anti-Tabak-Parolen*).

Was sagst du dazu? E/K

1 Findest du, daß man in Anzeigen und auf Plakaten Warnungen drucken sollte, wie z.B. „Rauchen verursacht Krebs"?

2 Wie beurteilst du die Ankündigung Willes, im Falle weiterer Beschränkungen „möglicherweise ganz auf Werbung zu verzichten"?

3 Ist er bereit, politische Entscheidungen zu akzeptieren?

4 Schreibe einen Brief an Herrn Wille und teile ihm mit, was du von der Position der deutschen Zigarettenindustrie hältst.

5 Schreibe einen Brief an die deutschen EG-Parlamentarier, in dem du ihnen mitteilst, welche Haltung du von ihnen zu den geplanten Einschränkungen der Zigarettenwerbung erwartest.

Immer mehr Unfälle: Nach der Disco kracht's

In den Nächten am Wochenende leben sie besonders gefährlich: Wie die Bundesanstalt für Straßenwesen (BASt) festgestellt hat, setzen sich viele Jugendliche nach dem Discobesuch unter Alkohol ans Steuer. „Disco-Busse" werden als Alternative zum Selberfahren diskutiert. In einer Sonderauswertung hat die BASt die Angaben von Polizeidienststellen analysiert, die bundesweit über drei Monate lang sogenannte Disco-Unfälle gesondert registriert hatten. „Uns wurden 216 schwere Unfälle gemeldet, in die Jugendliche bei der Heimfahrt vom Schwof oder beim Wechsel von einer Disco in die nächste verwickelt waren", erläutert Dr. Horst Schulz, Psychologe bei der BASt. „Dabei kamen 64 Jugendliche ums Leben, 484 wurden schwer verletzt." Erwartungsgemäß seien die meisten Karambolagen im ländlichen Bereich registriert worden.

Disco-Busse oder Sammeltaxen, die nachts die Diskotheken anfahren und gegen einen geringen Fahrpreis Jugendliche nach Hause transportieren, sind nach Einschätzung der BASt eine sinnvolle Vorsorgemaßnahme. Doch davon gibt es derzeit bundesweit erst etwa 20, schätzt Horst Schulz. Weitere Initiativen seien zwar in Planung, die Kommunen täten sich jedoch mit der Durchführung schwer.

Bei der Bundesanstalt für Straßenwesen wird jedoch nicht alles auf die eine Karte „Disco-Busse" gesetzt. Ein harter Kern würde sich trotz Alkohol weiter ans Steuer setzen, meint Horst Schulz. „Nach dem Disco-Besuch wollen viele 18jährige als Fahrer nun einmal beweisen, daß sie auch nach sechs Bier noch voll fahrtüchtig sind."

Nordpress, Isernhagen, 1989

Anmerkungen

die Sonderauswertung	die Sonderanalyse
der Schwof	der Tanz (umgangssprachlich)
die Karambolage	die Kollision, der Zusammenstoß
die Kommune	die Gemeinde
auf eine Karte setzen	(hier) hoffen, daß eine Maßnahme das Problem lösen wird
täten sich . . . schwer	hätten Schwierigkeiten

Worum geht's?

1 Was hat die BASt festgestellt?

2 Erkläre die Funktion eines Sammeltaxis.

3 Warum werden Unfälle nicht unbedingt durch den Einsatz von Sammeltaxis verhindert werden?

Übung macht den Meister!

Formuliere den unterstrichenen Satzteil in einen Nebensatz um.

1 setzen sich viele Jugendliche <u>nach dem Discobesuch</u>

2 <u>bei der Heimfahrt vom Schwof</u>

3 <u>beim Wechsel von einer Disco in die nächste</u>

4 <u>Erwartungsgemäß</u> seien die meisten Karambolagen im ländlichen Bereich registriert worden

5 Ein harter Kern (der Jugendlichen) würde sich <u>trotz Alkohol</u> weiter ans Steuer setzen.

Alkohol löscht keine Langeweile!

Worum geht's?

Höre dir die Tonbandaufnahme gut an, und notiere die wichtigsten Punkte.

1   Mache eine Liste von den Wörtern, die sich auf Trinken beziehen.

2   Welche Gründe gibt der Sprecher für die „Trunksucht" der Jugendlichen an? Versuche, sie alle aufzuschreiben.

3   Wie unterscheiden sich die Trinkgewohnheiten nach Meinung des Sprechers von Stadt zu Stadt?

Ergänze die Tabelle.

Kalkar	Kleve	Düsseldorf

Was sagt ihr dazu? G

1   Inwiefern könnte der Situation, die der Sprecher beschreibt, durch ein besseres Freizeitangebot in ländlichen Gebieten abgeholfen werden? (siehe, „Tips für die Freizeit" auf Seite 23.)

2   Ist die Trunksucht unter Jugendlichen ein „Europroblem"?

Thema 5   Fernsehen

Mit Kabelfernsehen mehr erleben?

Mit Kabelanschluß mehr erleben

Kabelanschluß

☙ Post

Ich bin verkabelt – ein glücklicher Privat-Fernseher

Einer meiner Freunde, der für das öffentlich-rechtliche Fernsehen arbeitet und sich deshalb für einen Intellektuellen hält, hat mich beschimpft: „Was, du hast dich auch verkabeln lassen? Hast du noch alle?" Ja habe ich – und kann SAT 1, 3SAT, RTL etc. sehen. Volles Programm!

„Nun", sagt mein öffentlich-rechtlicher Freund, „viele Politiker der SPD und der Grünen und sogar einige der CDU und FDP sind der Ansicht, daß dieses Fernsehüberangebot die Leute verblödet; daß sie verführt werden, nur noch Unterhaltung zu konsumieren;

daß sie die Sendungen nicht richtig auswählen."

„Sind das", frage ich, „die gleichen Leute, denen diese Politiker zutrauen, alle vier Jahre den richtigen Bundestag zu wählen?"

➡

Wieder Spaß an der Glotze

Ich gestehe offen: Seit Jahren habe ich wieder richtig Spaß an meiner „Glotze". Plötzlich ist das Programm keine amtliche Verlautbarung mehr, sondern eine Speisekarte. Und kein öffentlich-rechtliches Erziehungsprogramm: Mittwoch kein Frohsinn auf beiden Kanälen, sondern Belehrung; Freitag, Samstag, Sonntag keine Spielfilme zum Schutze der notleidenden Kinos; soundso viel Prozent Politik, egal, ob die Politiker was zu sagen haben oder nicht.

Jetzt sehe ich Boris live oder ein Fußballspiel (wie vor zwei Wochen Saarbrücken gegen Bayern München im Pokal). Jetzt bekomme ich die besten Filme mit Yul Brunner, der gerade gestorben ist. Ich kann wählen, wählen, wählen . . .

Die meisten „Verkabelten", die ich kenne, sehen nicht viel mehr fern; aber wir alle sehen viel mehr gern fern. Man weiß, daß man sich jeden Abend gezielt einige Höhepunkte ins Haus holen kann.

Gerd Schmitt-Hausser, *Bild am Sonntag,* 3.11.85 (gekürzt)

Anmerkungen

sich verkabeln lassen	sein Fernsehgerät an das Kabel anschließen lassen
das Kabelfernsehen	die Gruppe von Programmen meist kommerzieller, privater Sender, die nicht auf dem Funk-, sondern auf dem Kabelweg verbreitet werden.
das öffentlich-rechtliche Fernsehen	die Gruppe der Fernsehanstalten, die in besonderer Weise zu umfassender und fairer Berichterstattung verpflichtet sind (siehe Programmgrundsätze des WDR, Seite 91). Das öffentlich-rechliche Fernsehen bekommt seine Einnahmen überwiegend aus Gebühren, nicht aus dem Verkauf von Werbezeiten (Reklame) wie das kommerzielle Fernsehen.
die Verlautbarung	die Bekanntmachung, die Mitteilung

Erweitere deine Sprachkenntnisse!

1 Welche Verben haben diese Bedeutung?
   a sich Kabelfernsehen anschaffen
   b jemanden überreden, etwas Schlechtes, Böses zu machen
   c jemanden dumm machen

2 Inwiefern stellt das Kabelfernsehprogramm eine „Speisekarte" dar?

3 Was ist ein „Erziehungsprogramm"?

4 Was ist eine „Glotze"?

5 Drücke es anders aus:
   a Hast du noch alle?
   b . . . sind der Ansicht

Worum geht's?

Kreuze die richtige Antwort an.

1 a CDU- und FDP-Politiker werden verführt, Unterhaltung zu konsumieren.
   b Zu viele Politiker treten im Fernsehen auf.
   c Leute, denen man zutraut, den richtigen Bundestag zu wählen, können auch das für sie richtige Fernsehprogramm wählen.

2 Das öffentlich-rechtliche Fernsehen bietet (nach Meinung des Autors)
   a zuviel Politik.
   b keine Belehrung.
   c starr festgelegte Prozentanteile von Politik, usw. (ohne Rücksicht auf Aktualität).

3 Leute, die Kabelfernsehen haben,
   a sehen viel mehr fern.
   b sehen weniger fern.
   c sehen jetzt gern fern.

Was ist Fernsehen?
Vom Enthüllen und Verhüllen

Vor geraumer Zeit kam ein deutscher Sender ins Gerede, der seinen Hörern – wenigstens einmal in der Woche – nur gute Nachrichten offerierte. Die Idee hatte auf Anhieb erst einmal alle Züge eines Späßchens, sie wirkte wie einer jener aparten Einfälle, die in den grauen Medienalltag etwas Farbe bringen sollen. Doch hinter dieser Programmidee steckte weit mehr. Hier wurde erstmals auf ein weitverbreitetes Unbehagen am Fernsehen mit einer wirklichen Umwälzung reagiert. Gute Nachrichten sind mehr als kosmetische Korrekturen am Programm, sie revolutionierten – würden sie zur Norm erhoben – unseren Begriff von Fernsehen.

Was ist Fernsehen? Zuerst einmal eine Tätigkeit, die sich in den eigenen vier Wänden abspielt, also Teil des häuslichen Rituals. Das Fernsehgerät ist Teil des Mobiliars, mehr noch, es wird am bevorzugten Platz aufgestellt. Beim Kauf spielen ästhetische Gründe eine große Rolle. Dem Bedürfnis nach Verschönerung der Welt entspricht der Apparat, nicht aber das Programm, oder doch jedenfalls nicht so, wie dies von allen anderen Gegenständen der häuslichen Einrichtung erwartet wird. Ein Kunstfreund mag die übermalten Totengesichter des Malers Rainer noch so schätzen und im Museum auch bewundern, an die eigene Wand wird er eher ein Aquarell von Nolde hängen, das für die imaginäre Tröstung bürgt. Es steht zu vermuten, daß dem Fernsehgerät – zumindest unterschwellig – Harmonie abverlangt wird. Wie man weiß, bietet das Fernsehprogramm – nach der alten journalistischen Devise, gute Nachrichten seien keine Nachrichten – vorzugsweise das Gegenteil. Wer dem Unbehagen am Fernsehen, das mehr ist als die tägliche Nörgelei am Programm, auf die Spur kommen will, darf diesen Aspekt nicht außer acht lassen. Natürlich beugt sich das Fernsehen einem Zwang: dem Zwang zur Berichterstattung über die Schattenseiten des Lebens und dem Zwang zur Bebilderung. Diese Praxis ist generell auch nicht kritikwürdig, und doch nährt sie den Verdruß am Fernsehen, läßt Stimmen laut werden, die von einem kommerziellen Fernsehen weniger Verstörung und mehr konfliktfreie Unterhaltung erhoffen.

Michael Schwarze, *Frankfurter Allgemeine Zeitung,* 23.10.79

Anmerkungen

(der Anhieb) auf Anhieb	sofort
der Einfall (̈e)	die Idee
der Begriff (-e)	wie man etwas versteht, Konzeption
das kommerzielle Fernsehen	die Gruppe der Fernsehsender, die ihre Einnahmen nicht durch Gebühren, sondern durch den Werbezeiten (Reklame) erzielt (dagegen öffentlich-rechtliches Fernsehen)
das Unbehagen	die Unzufriedenheit
die Nörgelei	die Kritik (in schlechter Laune)
die Übertragung	die Sendung
die Haltung	die Einstellung
die Tröstung	etwas, das Hilfe oder Mut gibt, ein Trost
abverlangen	von etwas/jemandem etwas verlangen, erwarten
sich abspielen	stattfinden
einwenden	gegen etwas sprechen
gleichwohl	trotzdem
vorzugsweise	am liebsten
unterschwellig	ohne daß man sich dessen bewußt ist

Worum geht's?

Aufgabe 1

Was ist hier richtig?

1 „Der graue Medienalltag" bedeutet:
    a   die Sendungen sind langweilig.

    b   die Nachrichten sind langweilig.

    c   an einem bestimmten Tag werden nur Nachrichten offeriert.

2 Der Gesichtspunkt, wie der Fernsehapparat aussieht, ist für die meisten Käufer
    a   wichtig.

    b   gar nicht so wichtig.

    c   nicht so wichtig wie der Preis.

3 Leute sehen lieber Sendungen,
    a   die sie nicht erschrecken.

    b   die sie nicht zur Kritik zwingen.

    c   die sie stören und schockieren.

4 Es hat den Anschein, daß viele Fernsehzuschauer vom Fernsehen erwarten,
    a   daß es mehr konfliktfreie Unterhaltung bietet.

    b   daß es über die Schattenseiten des Lebens berichtet.

    c   daß es den Fernsehzuschauer zur Kritik zwingt.

Aufgabe 2

Fasse das Thema der beiden Texte anhand der Stichworte unten zusammen.

1 Dem ersten Verfasser ⎫
                      ⎬ geht es um
2 Dem zweiten Verfasser ⎭

    a   das Programmangebot.

    b   die Freiheit der Programmwahl.

    c   den Fernsehapparat.

    d   die Nachrichten.

    e   das Unbehagen am Fernsehen.

    f   die Kunst.

    g   die Politik.

Erweitere deine Sprachkenntnisse!

Aufgabe 1

Wo steht im zweiten Text?

1 der Gedanke wirkte wie ein Witz

2 es gehört zum festgelegten Tagesablauf

3 wer herausfinden möchte, warum man das Fernsehen kritisiert . . .

4 . . . darf diesen Gesichtspunkt nicht übersehen

Aufgabe 2

Drücke anders aus:

1 ein Teil des Mobiliars

2 von allen anderen Gegenständen der häuslichen Einrichtung

3 nach der . . . Devise

4 die Schattenseiten des Lebens

Aufgabe 3

Welche Wörter bezeichnen die negative Einstellung der TV-Zuschauer?

Stelle eine Liste auf. Berücksichtige beide Texte.

Aufgabe 4

Versuche, die Bedeutung der folgenden Wörter aus der unterstrichenen Stammform abzuleiten.

1 vor geraumer Zeit

2 ins Gerede

3 Umwälzung

4 Bebilderung

5 Verstörung

6 Man steckt eine Schallplatte oder einen Führerschein in eine Hülle. Kannst du den Unterschied zwischen *enthüllen* und *verhüllen* erklären?

Vergleiche: *ent + Spann . . . Entspannung*
                ent + Schuld . . . Entschuldigung
                ver + Schuld . . . verschulden

Übung macht den Meister!

Übung 1

Adjektive (unbestimmte Mengenbegriffe)

Lies die Artikel noch einmal, und ergänze dann das richtige Adjektiv (Adverb) (*viel, mehr, zuviel, usw.*):

Freunde des Kabelfernsehens sehen _____ lieber fern. Es gibt beim Kabelfernsehen _____ Unterhaltung, wie z.B. Sport, aber auf der anderen Seite gibt es _____ Belehrung. Die Zuschauer wollen _____ Frohsinn und _____ Verstörung.

Früher wurde _____ Politik übertragen, ob die Politiker was zu sagen hatten oder nicht! Leute, die dem Fernsehen Unterhaltung und Harmonie abverlangen, haben oft _____ oder sogar kein Interesse an Politik. Da man wählen kann, kann man aber natürlich _____ _____ Politik wie Unterhaltung sehen.

Übung 2

Deklination des Adjektivs

Ersetze das unterstrichene Adjektiv durch ein anderes Adjektiv, das das Gegenteil bedeutet. Achte auf die Form des Adjektivs.

1 nach der <u>alten</u> Devise

2 von einem <u>kommerziellen</u> Fernsehen

3 in den <u>grauen</u> Medienalltag

4 einer jener <u>aparten</u> Einfälle

5 die <u>besten</u> Filme

6 die <u>imaginäre</u> Tröstung

Übung 3

Verben mit dem Dativ

Ergänze:

1 Das Programm entspricht nicht _____ Apparat.

2 Der Sender bietet _____ Zuschauer nur gute Nachrichten.

3 Die Politiker trauen es _____ Bevölkerung zu, den richtigen Bundestag zu wählen.

4 Man kommt _____ Erfolg auf die Spur.

5 „Verkabelte" beugen sich nicht _____ Zwang, sondern sie können sehen, was sie wollen.

6 Man verlangt _____ Fernsehen Harmonie ab.

Übung 4

Konzessivsätze mit „zwar . . . doch (aber)"

Verbinde die Sätze, indem du *zwar* und *doch (aber)* verwendest. Achte auf die Wortstellung.

Beispiel: *Er arbeitet für das Fernsehen. Er ist kein Intellektueller. Er arbeitet zwar für das Fernsehen, doch ist er kein Intellektueller (aber er ist kein Intellektueller.)*

1 Der Apparat ist sehr schön. Er ist nicht so wichtig wie das Programmangebot.

2 Man kann Bilder im Museum bewundern. Man hängt sie nicht zu Hause auf.

3 Man erwartet Harmonie vom Fernsehen. Man will nicht nur Frohsinn auf allen Kanälen.

4 Politiker haben manchmal nichts zu sagen. Sie treten im Fernsehen auf.

5 „Verkabelte" sehen nicht viel mehr fern. Sie sehen viel lieber fern.

Was steckt dahinter? G

1 Hier sind einige Beispiele typischer
Nachrichtenschlagzeilen:

    a Flugzeug auf Insel Samos
abgestürzt – alle vierzig Insassen tot

    b Pokalsieg: BV Borussia Dortmund
schlägt Deutschen Meister Bayern
München

    c Doping nachgewiesen – Ben Jonson
muß olympische Goldmedaille
zurückgeben

    d Bundesregierung im Stimmungstief
– Bundeskanzler Kohl bildet
Regierung um

Stellt fest, welche dieser Nachrichten
„schlechte" Nachrichten sind.
Schreibt die „gute" Nachricht, die jeweils aus
der Umkehrung der „schlechten" entsteht.
Erklärt dann, warum „gute" Nachrichten
keine Nachrichten sind.

2 Könnt ihr am Beispiel einer Nachrichten-
zeile erklären, warum auch Nachrichten, die
nicht „schlecht" sind, Nachrichtenwert haben
können?

3 Diskutiert die Auffassung Schwarzes, daß
Fernsehen ein „Teil des häuslichen Rituals"
sei.

Besser und mehr

**Interview mit
Dieter Thomas Heck**

Worum geht's?

1 Wo findet das Interview statt?

2 Was ist Dieter Thomas Heck von Beruf?

3 Welches Land erwähnt er und warum?

4 Welche Sendungen erwähnt er?

5 Das Kabelfernsehen hat zwei große Vorteile
– welche?

KABELFERNSEHPROGRAMME

Sky Channel – europaweite Familienunterhaltung.

Sky Channel bietet englischsprachige Unterhaltungssendungen für 13 europäische Länder via Satellit.

Das non-stop Familienprogramm besteht vorrangig aus erstklassigen Schauspielen und Action-Serien, Spielfilmen, Komödien, Sportsendungen, Kinderunterhaltungsprogrammen und Dokumentationssendungen sowie aus toller Pop-Musik in Stereo.

Darüberhinaus gibt es Sky-Text, Sky Channels Informations-Text-Dienst, der verschiedene Informationen wie Programmvorschauen, das Wetter in Europa, Reiseverkehrsberichte, den Stand der Hitparaden, die aktuellen amtlichen Wechselkurse und das Horoskop enthält.

Bild und Text in ausschließlicher Verantwortung von Sky Channel.

MUSIC BOX – das non-stop Musikfernsehen – per Kabel.

MUSIC BOX ist Europas ganztägiger Rock- und Popmusik TV-Kanal. Von täglich 01.00–01.00 Uhr (MEZ) präsentiert MUSIC BOX Videoclips bedeutender Rock/Popkünstler, Star-Interviews, Live-Konzerte, aktuelle Charts aus Europa, Informationen, Quizze und das MUSIC BOX-Team unterwegs.

Moderiert wird das Programm von jungen und dynamischen Leuten, die durch ihre professionelle und lockere Moderation wesentlich zum Erfolg von MUSIC BOX beitragen. Jeden Tag werden 8 neue Programmstunden produziert, die 3 × täglich über Satellit ausgestrahlt werden.

Bild und Text in ausschließlicher Verantwortung von MUSIC BOX.

Die deutsche musicbox: Ich sehe Musik.

Die deutsche musicbox ist ein deutschsprachig moderiertes Musikspartenprogramm mit täglich 16 Stunden Sendezeit.

musicbox ist das Programm der KMP Kabel Media Programmgesellschaft mbH von Wolfgang Fischer mit Sitz in München.

musicbox ist ein Videoclipprogramm, ergänzt durch Infos und Klatsch aus der Szene, Studiogäste aus der Musik- und Filmbranche und jugendbezogene Themensendungen, präsentiert von jungen Moderatoren.

musicbox sendet tägl. von 08.00–24.00 Uhr über Intelsat V und ist zusätzlich von 16.00–17.00 Uhr tägl. im SAT1-Programm zu sehen.

Bild und Text in ausschließlicher Verantwortung von musicbox.

T.V.5: Television Francophone par Satellite, das französischsprachige Satellitenfernsehen.

T.V.5 wird von 6 Fernsehstationen in Frankreich, Belgien, Quebec-Canada und der Schweiz gemeinsam produziert. T.V.5 bringt zwischen 16.05 und 22.30 Uhr ein Programm für breiteste Publikumsgruppen: Die großen Klassiker des französischen Kinofilms; Serien und Fernsehspiele; Unterhaltendes von Bühne und Music-Hall; Magazine, Sport, Jugendsendungen. Sowie aus dem Musikleben: Konzert, Ballett, Oper, Jazz, Rock.

Um 22.00 Uhr gibt's – mit leichter Zeitverschiebung – die Hauptausgabe der französischen Tagesschau.

T.V.5 bringt keine Werbesendungen.

Bild und Text in ausschließlicher Verantwortung von T.V.5. (Foto gemacht bei Antenne 2.)

Was steckt dahinter?

Auf Seite 85 ist eine Auswahl von Kabelfernsehprogrammen beschrieben.

1   Was haben die Programme gemeinsam?

2   Wo liegen die Akzente?

3   „Eine Mischung für jeden Geschmack" (*Deutsche Bundespost*). Meint ihr, daß diese Beschreibung des Programmangebots zutrifft? Fehlen eurer Ansicht nach bestimmte Sendungsarten?

Wer findet den Knopf zum Ausschalten?

Worum geht's?

Abschnitt 1

Höre gut zu und mache Notizen. Ergänze dann die Tabelle.

	Sehgewohnheiten	*Lieblingssendung*
Andreas		
Claudia		
Astrid		
Jochen		

Abschnitt 2 (A)

Welche Behauptungen sind hier falsch?
Berichtige die falschen!

1 Früher trafen sich die Schüler nachmittags mit ihren Freunden.

2 Jetzt sehen sie ihre Freunde nur am Wochenende.

3 Nachmittags sehen sie meistens fern.

4 Andreas liest genauso viele Bücher wie zuvor.

5 Die anderen lesen weniger.

6 Die Schüler würden Kabelfernsehen empfehlen.

7 Das Kulturangebot beim Kabelfernsehen ist besser.

8 Kabelfernsehen bietet eine größere Auswahl.

9 Die Schüler sehen Spielfilme besonders gern.

Abschnitt 2 (B)

1 Wer sagt und was bedeutet:
   a „. . . da kann ich was anderes bei machen"?
   b „. . . dann les' ich mir das lieber durch, statt Fernsehen zu gucken, wenn nichts Gescheites kommt"?
   c „. . . denn irgendwo ist was Gutes, ist bestimmt irgendwas Gutes drin"?

Spannend ist's woanders

Seit kurzem bin ich an die große bunte Fernsehwelt angeschlossen.

Am Anfang habe ich mich erst einmal durchgetastet: ARD, ZDF und WDF kannte ich ja schon, aber auf die neuen Programme war ich doch mächtig gespannt. Schließlich hatte ich ja lange genug die Kabel-Programme neidvoll studiert und dabei manchen alten Spielfilm, Tennis-Übertragungen und auch das eine oder andere Konzert verpaßt.

Jetzt, wo ich die zwanzig Kanäle im Kasten habe, ist die Auswahl gar nicht mehr so leicht. „Raumschiff Enterprise" in SAT 1 würde ich ja gerne gucken, aber das geht bis 20.10 Uhr. Dann verpasse ich den „Fernsehgarten" auf Eins Plus und außerdem den Beginn der „Tagesschau".

Also, um wirklich mein eigener Intendant sein zu können, habe ich erst einmal die Programme gesammelt. „Meine" Programmzeitschrift müßte erst noch erfunden werden – ausklappbare Seiten und für jeden Tag heraustrennbare Blätter, verschiedenfarbige Spalten für jedes Programm, vor jeder Sendung ein Kästchen zum Ankreuzen.

Da ich nicht täglich mehr Zeit mit dem Studium der Programmangebote verbringen wollte, als ich überhaupt fernzusehen beabsichtige, und ich andererseits auch die Idee eines selbstentwickelten Programmschema-Formulars verwarf, kam mir der Strichcode-Videorecorder, von dem ich jüngst in der Zeitung las, wie gerufen. Das Ding mußte her, und zwar sofort.

Welches Fernsehprogramm wir aktuell schauen, ist im Grunde schon zweitrangig. Meine Frau und ich haben ohnedies das Gefühl, daß wir immer das Falsche sehen: Soviel wir auch hin- und herschalten – spannend scheint's immer auf dem anderen Kanal.

WAZ

Worum geht's?

1 Aus welchen Gründen hat der Verfasser des Artikels sein Fernsehgerät ans Kabel anschließen lassen?

2 Was hat er dann festgestellt?

3 Was braucht er noch?

4 Warum war ein Videorecorder die ideale Lösung?

5 Ist er jetzt zufrieden?

Mit Kabelanschluß mehr erleben.

Sportfans steht der Himmel offen. Aus aller Welt kommen jetzt die tollsten Sportereignisse. Auch über Satellit. Tennis, Fußball, Autorennen. Alles, was die Herzen höher schlagen läßt. Mit bestem Bild und bestem Ton.

Die Anschließungsgebühren sind günstig und können auch in Raten bezahlt werden. Fragen Sie Ihr Fernmeldeamt oder Ihre Post.

Erweitere deine Sprachkenntnisse!

Drücke anders aus:

1 Sportfans steht der Himmel offen.

2 aus aller Welt

3 die Herzen höher schlagen läßt

4 Anschließungsgebühren

5 in Raten

Was steckt dahinter? G

Untersucht die Reklameseite in mehreren Gruppen. Macht euch Notizen zu euren Ergebnissen.

1 Beschreibt die beiden Personen auf dem Bild.
  a In welcher Beziehung könnten die beiden zueinander stehen?
  b Welche Gefühle drücken ihre Gesichter aus?
  c Was sagt ihre Kleidung über sie aus?

2 Erklärt in Verbindung mit dem Text, was die Hand der Person links ausdrückt.

Was sagt ihr dazu? K

Haltet ihr die Anzeige für erfolgversprechend? Diskutiert die Frage in eurer Klasse; bezieht euch bei euren Urteilen auf die Ergebnisse eurer Analysen.

Macht euch anschließend Notizen zur Diskussion in der Klasse und verfaßt dann als Hausaufgabe ein knappes Ergebnisprotokoll.

„. . . wenn ich bei ARD und ZDF nichts Interessantes finde."

Worum geht's?

1 Wie war die Lage, als Frau Kausch einzog?

2 Wie hat sich die Lage jetzt geändert?

3 Welche Sendungen interessieren sie nicht?

4 Wie viele Programme sieht Frau Kausch jetzt, die sie sonst nicht sehen würde?

5 Wann schaltet sie diese Programme ein?

6 Haben sich ihre Sehgewohnheiten sonst geändert?

7 Welches Programm gefällt Frau Kausch am besten?

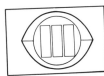

Fernsehkritik

PLUS + MINUS

Das Gottkönigtum Tibets

+ Erich Feigl drehte dem Dalai-Lama einen guten PR-Film: So viel Einblick in den tibetanischen Glauben an die Reinkarnation gab es noch nicht. Nur: Wenn Szenen für die Kamera nachgespielt werden, sollte der Kommentar es nicht verschweigen. (ZDF) *Bg*

Griff nach den Sternen

+ Bilder, die man nie zuvor gesehen hatte, dokumentierten den durch Ehrgeiz bestimmten Wettlauf der Supermächte in den Weltraum. Ralf Piechowiaks Film wandte sich an kundige Zuschauer. (ZDF) *wk*

Die letzte Station

+ Alte Menschen – abgeschoben ins Altenheim. Manfred Bannenberg zeigte den Alltag dort: gestreßte Pfleger, eine Frau, die um ein schnelles Ende bettelt. Es sollte junge Leute nachdenklich stimmen. (ARD) *rott*

Adrian und die Römer

— Klaus Bueb (Autor und zugleich Hauptdarsteller dieser Komödie) quälte sich und die Zuschauer mit mäßigem Witz durch ein unbefriedigendes Berufs- und Liebesleben. (ZDF) *ehr*

Roger Bornemann

+ Die Dokumentation über Leben und Tod eines Skinhead war informativ, spannend, ergreifend. Warum nur der Sendeplatz um Mitternacht? (ARD) *dib*

800 000 km Stau

+ Patentlösungen haben weder Experten noch Politiker. Das zeigte Lionel Bandmanns aufschlußreiche Dokumentation zum Thema Verkehrs-Kollaps. (ZDF) *bah*

Die Männer vom K 3

+ Waffenhandel wieder mal als Krimi-Motiv. Aber Harald Vocks Geschichte war glaubwürdig, bekam Spannung durch gut geschnittene Szenen. (ARD) *luc*

SIEGER DER WOCHE

HÖR ZU nennt die zehn meistgesehenen Sendungen für die Zeit vom 7.7. bis 13.7. Die Tabelle zeigt die im Auftrag von ARD und ZDF durch GfK-Fernsehforschung ermittelten Zuschauerzahlen in Millionen.

1.	ARD 20.15	Tatort: Armer Nanosh	12,03
2.	ARD 21.05	Die Männer vom K 3	10,68
3.	ARD 20.15	Dingsda	10,17
4.	ARD 21.45	Dallas (284.)	9,20
5.	ARD 18.40	Lindenstraße (188.)	8,69
6.	ZDF 20.15	Aktenzeichen: XY . . .	8,51
7.	ARD 20.15	Bei uns im Viertel	8,28
8.	ZDF 20.15	Die Zürcher Verlobung (Wh.)	8,20
9.	ARD 20.15	ARD-Wunschkonzert	7,34
10.	ARD 20.15	Levy und Goliath	7,21

Diesen Zahlen des Zuspruchs stellen wir eine Bestenliste gegenüber, die für denselben Zeitraum von den HÖR ZU-Fernsehkritikern erstellt wurde. Auch dafür nennen wir die Zuschauer in Millionen (laut GfK).

1.	RTL 14.00	Tennis: Graf–Navratilova	6,03
2.	RTL 16.00	Tennis: Becker–Edberg	6,86
3.	ZDF 22.00	Wunderbarer Planet (3.)	3,89
4.	ARD 21.50	Die letzte Station	3,77
5.	ZDF 22.00	Griff nach den Sternen	3,67
6.	ARD 23.00	Roger Bornemann	1,71
7.	ZDF 18.10	Mona Lisa: Philippinen	1,82
8.	ZDF 19.30	Das Gottkönigtum Tibets	2,58
9.	ZDF 19.25	80 000 km Stau	3,85
10.	ZDF 14.45	Verloren in Amerika	0,79

Hör Zu, 21.7.89

Was steckt dahinter?

1 Welche positive/negative Kritik wird über die Programme in der Tabelle geäußert? Ergänze die Tabelle stichwortartig.

	positiv	*negativ*
Das Gottkönigtum Tibets		
Die letzte Station		
Roger Bornemann		
Die Männer vom K3		

2 Wovon handeln die ersten drei Sendungen?

3 Was für Sendungen sind es?

4 Lies das Kabelfernseh-Programmangebot (siehe Seiten 85–6) noch einmal durch und vergleiche es mit „Plus + Minus". Was fällt dir dabei auf?

5 Lies die „Sieger der Woche"-Tabellen. Welche Sendungsarten werden laut dieser Tabelle von deutschen Zuschauern bevorzugt?

Programmgrundsätze des Westdeutschen Rundfunks

„Für das Programm sowie für neue Dienste, die der WDR anbietet, gilt die verfassungsmäßige Ordnung. Die Vorschriften der allgemeinen Gesetze und gesetzlichen Bestimmungen zum Schutz der Jugend und des Rechts der persönlichen Ehre sind einzuhalten.

Der WDR hat in seinen Sendungen die Würde des Menschen zu achten und zu schützen. Er soll dazu beitragen, die Achtung vor Leben, Freiheit und körperlicher Unversehrtheit, vor Glauben und Meinung anderer zu stärken. Die sittlichen und religiösen Überzeugungen der Bevölkerung sind zu achten.

Der WDR soll die internationale Verständigung fördern, zum Frieden und zur sozialen Gerechtigkeit mahnen, die demokratischen Freiheiten verteidigen, zur Verwirklichung der Gleichberechtigung von Männern und Frauen beitragen und der Wahrheit verpflichtet sein.

Der WDR stellt sicher, daß

1. die Vielfalt der bestehenden Meinungen und der weltanschaulichen, politischen, wissenschaftlichen und künstlerischen Richtungen im Gesamtprogramm der Anstalt in möglichster Breite und Vollständigkeit Ausdruck findet,

2. die bedeutsamen gesellschaftlichen Kräfte im Sendegebiet im Gesamtprogramm der Anstalt zu Wort kommen.

3. das Gesamtprogramm nicht einseitig einer Partei oder Gruppe, einer Interessengemeinschaft, einem Bekenntnis oder einer Weltanschauung dient.

Der WDR soll in seiner Berichterstattung angemessene Zeit für die Behandlung kontroverser Themen von allgemeiner Bedeutung vorsehen. Wertende und analysierende Einzelbeiträge haben dem Gebot journalistischer Fairness zu entsprechen. Ziel der Berichterstattung ist es, umfassend zu informieren.

Die Nachrichtengebung muß allgemein, unabhängig und sachlich sein. Nachrichten sind vor ihrer Verbreitung mit der nach den Umständen gebotenen Sorgfalt auf Inhalt, Herkunft und Wahrheit zu prüfen. Kommentare sind deutlich von Nachrichten zu trennen und unter Nennung des Verfassers als solche zu kennzeichnen."

(gekürzt)

Erweitere deine Sprachkenntnisse!

Aufgabe 1

Drücke anders aus:

1   „Die sittlichen und religiösen Überzeugungen der Bevölkerung sind zu achten".

2   „Der WDR soll die internationale Verständigung fördern".

3   „. . . die Vielfalt der bestehenden Meinungen"

Aufgabe 2

Welche Merkmale der geschriebenen Sprache enthält dieser Text? Beachte besonders Satzbau, Wortwahl usw.

Was steckt dahinter?   K/P

Was verstehst du unter „demokratischen Freiheiten?"

Vergleicht die Programmgrundsätze mit denen von Sendern in eurem Lande. Versucht Informationen zu finden, wann z.B. der Nordwestdeutsche Rundfunk (später Nord-deutscher Rundfunk und Westdeutscher Rundfunk) gegründet worden ist und woran er sich orientiert hat.

Was sagst du dazu?

Bericht und Stellungnahme

1   Ist das Unbehagen am Fernsehen tatsächlich weitverbreitet?

2   Sind nach deiner Erfahrung bestimmte Personengruppen zufriedener als andere mit dem Fernsehen?

3   Welche Aufgaben hat deiner Meinung nach das Fernsehen?
    Berichterstattung
    Erzeugung von Harmoniegefühlen
    Erziehung
    Unterhaltung
    Kompensation für die Entbehrungen des Alltags
    Haben sie alle den gleichen Rang?

4   Gibt es Ereignisse, von denen die Medien keine Bilder verbreiten sollten?

5   Beurteile die These, Programmvielfalt sei kein Problem für Leute, die politisch für mündig gehalten werden.

6   Wie beurteilst du große Programmauswahl für junge Fernsehzuschauer?

Thema 6   Im Straßenverkehr

Ob nicht der Weg das Ziel ist?

ICH FAHR
FORMEL
FAIR

"Ich fahr Formel Fair", das heißt für den Motofahrer: Sei fair zum Autofahrer. Er kennt Deine Situation nicht.

"Ich fahr Formel Fair", das heißt für den Autofahrer: Sei fair zum Motofahrer. Er hat keine Knautschzone.

Deutschland ist im Moto-Boom. Immer mehr Mofas, Mopeds und Motorräder rollen über unsere Straßen. Bald jeder 10. Verkehrsteilnehmer ist heute ein motorisierter Zweiradfahrer. Mehr als 3 Millionen. Meist unter 25 Jahren. Im Vergleich zu den gut 30 Millionen Autofahrern zwar immer noch eine Minderheit. Rein nach dem Gesetz haben die Motofahrer die gleichen Rechte wie die Autofahrer.

Jedoch: Nur in der schönen Theorie. Denn in der Praxis auf Deutschlands Straßen sieht es bei weitem nicht so ideal aus. Die Motofahrer fühlen sich von den stärkeren Autofahrern ins Abseits oder, besser gesagt, in den Straßengraben gedrängt. Und die Autofahrer wiederum schimpfen über den Leichtsinn so mancher Motofahrer.

Von der vielgelobten Partnerschaft also keine Rede. Höchste Zeit, daß hier Formel Fair gefahren wird. "Ich fahr Formel Fair" ist eine Idee der Vorsorge-Initiative der Deutschen Behindertenhilfe Aktion Sorgenkind. Eine Kampagne zur Verringerung der Unfälle jugendlicher Zweiradfahrer. Denn – und das ist eine traurige Tatsache – gerade die jungen Motofahrer sind besonders häufig von Unfällen betroffen.

Fünf Regeln gibt's:

Cool bleiben.

Laß andere leben ... auch wenn Du im Recht bist.

Denk Dich in den anderen rein.

Eine Gripsgymnastik, die Dich lange fit hält.

Halt Dein Fahrzeug fit.

Auch ein Moto, das technisch top ist, ist nur für eine begrenzte Leistung gebaut.

Lern die Straße zu lesen.

Die meisten Gefahrensituationen zeigen sich schon deutlich vorher.

Sei grün dem Grün.

Du willst ja auch morgen durch eine schöne Umwelt touren.

IMMER MEHR

Man fährt täglich nebeneinander her und weiß so wenig voneinander: der Autofahrer, einer von 30 Millionen, und der Motofahrer mit drei Millionen seinesgleichen auf ihren Mofas, Mopeds und Mokicks. Doch immer mehr sind dafür, daß aus dem Nebeneinander ein Miteinander wird. Logisch: Beide wollen sicher nach Hause kommen und beide haben vieles gemeinsam. Autofahrer waren auch einmal jung – viele von ihnen Motobesitzer. Und Motofahrer wollen auch einmal Autofahrer werden. Da verwischt sich der Unterschied zwischen älter und jünger, und aus Verkehrsteilnehmern werden Partner, weil sie sich bemühen, den anderen besser zu verstehen. Die Formel, auf die sich immer mehr Auto- und Motofahrer einigen, lautet "Formel Fair":

Ich fahr **Formel Fair**

"Ich fahr Formel Fair", das heißt für den Motofahrer: Sei fair zum Autofahrer. Er kennt Deine Situation nicht. "Ich fahr Formel Fair", das heißt für den Autofahrer: Sei fair zum Motofahrer. Er hat keine Knautschzone.

MOTO-MOTTOS

"Sucht das beste MOTO-Motto", hatten wir in MOTO 1 aufgefordert. Also originelle Sprüche, die Stimmung für sicheres Motofahren machen.
Berge von Briefen trafen bei uns ein: gereimte Mottos, gemalte Mottos, witzige Mottos und kämpferische Mottos. Der Jury ist die Wahl ganz schön schwer gefallen. Hier nun die Gewinner-Mottos:
"Nur mit Rücksicht im Verkehr, fährt ein jeder Formel Fair" reimte Jürgen aus Beckum. "Nur Flaschen fahren volle Pulle" dichtete Diana aus Bad Sachsa ganz locker.

FAHREN FORMEL FAIR

"Beim Lenken stets Denken" schrieb uns Daniel aus Lüneburg. Doch auch die anderen Mottos waren nicht ohne. Die häufigsten Themen: "Vorsicht vor zu hohem Tempo", "Hände weg vom Alkohol", "Tragt Schutzhelm" und "Mehr Rücksicht auf andere Verkehrsteilnehmer". Besonders gut haben uns die oben genannten gefallen.

Moto, 2/1986 (gekürzt)

Erweitere deine Sprachkenntnisse!

Lies die Sprüche (in den Sprechblasen und im Text). Hast du sie kapiert?

Was heißt „kapiert"? Kannst du die umgangssprachlichen Ausdrücke durch die entsprechenden Ausdrücke (unten) ersetzen?

1 schnelles Motorrad

2 Vollgas

3 Dumme

4 auf Motorrädern

5 Mitfahrer, der hinter dem Motorradfahrer sitzt

6 stürzen

Übung macht den Meister!

Der Imperativ

Schreibe eine Liste der Imperativ-Formen, die auf Seite 94 erscheinen. (Achtung! „Cool bleiben" paßt nicht in dieses Schema. Wann wird der Infinitiv als Imperativ gebraucht? Denke an Schilder, Gebrauchsanweisungen usw.)

Bilde entsprechende Imperativ-Formen für die Anrede mit *ihr* und *Sie*.

Was sagst du dazu? G/K

1   Welcher Spruch gefällt dir am besten?

2   Was hältst du von der Aktion „Formel Fair"? Gibt es andere, bessere Methoden, Mofafahrer und Autofahrer aufzuklären? Prüfe, ob *Moto* das am besten geeignete Medium für die Aktion ist.

Gruppenarbeit

3   Der Text im *Moto* geht davon aus, daß Zweiradfahrer besonders durch Autofahrer gefährdet werden, weil diese deren Situation nicht kennen. Also:

   a   Klärt die „Situation" des Zweiradfahrers im Gruppengespräch, macht Notizen, und tauscht diese aus.

   b   Schreibt dann in Gruppen Slogans (im Imperativ!) und kurze aufklärende Texte zur Veröffentlichung in einer Autozeitschrift.

Parke nicht auf unseren Wegen

NRW-Initiative — Sicherer Lebensraum Verkehr

Was steckt dahinter?

Schaut euch das Plakat an und diskutiert darüber. Macht euch Notizen zu euren Ergebnissen.

1. Beschreibt, was ihr auf dem Bild seht. Erklärt insbesondere, was ihr an der Körperhaltung der drei Personen links erkennt.

2. Wer könnte das Bild gemalt und die Texte geschrieben haben? (Achtet auf den Text und die Art der Schrift in den Sprechblasen).

3. Wer ist der Adressat des Plakates?

Was sagt ihr dazu?

Haltet ihr das Plakat für gelungen? Begründet eure Meinung. Schreibt anschließend jeweils euer persönliches Urteil als Hausaufgabe auf.

Kinder müssen sich auf Zeichen verlassen können

An Überwegen, Kreuzungen, Bushaltestellen sind Fußgänger besonders auf die Rücksichtnahme der Autofahrer angewiesen. Da reicht es nicht, daß die Kraftfahrer den Fußgängern das Passieren ermöglichen. Vielmehr muß das eigene Verhalten dem Fußgänger frühzeitig erkennbar sein. Verständigung zwischen Kraftfahrern, Fußgängern und Radlern kann manche Verkehrssituationen entschärfen. Der DEKRA appelliert daher besonders an die Kraftfahrer, durch Blickkontakt und eindeutige Handzeichen den Verkehrsteilnehmern zu signalisieren, daß man sie sieht und auf sie Rücksicht nimmt. Autofahrer sollten dabei jedoch bedenken: Wer einem Fußgänger zum Beispiel an einem Überweg Handzeichen gibt, haftet gegebenenfalls bei einem Unfall, den ein überholendes Fahrzeug auslöst. Die Rechtsprechung geht davon aus, daß sich besonders Kinder auf Handzeichen verlassen müssen.

DEKRA, Pinneberger Tageblatt, 15.3.89

Anmerkungen

der Radler	der Radfahrer
haften	für Schäden aufkommen, das heißt bezahlen müssen
auslösen	verursachen
entschärfen	(hier) die Unfallgefahr verringern (normalerweise wird eine Bombe entschärft)
DEKRA	Deutscher Kraftfahrzeug-Überwachungsverein

Worum geht's?

1. Was empfiehlt der DEKRA den Kraftfahrern?

2. Auf welche Gefahr macht der DEKRA die Kraftfahrer im Zusammenhang mit Handzeichen aufmerksam?

3. Ist der Hinweis des DEKRA insgesamt als Aufforderung zu oder Warnung vor Handzeichen zu verstehen?

Was sagt ihr dazu?

1. Ist es eurer Meinung nach wahrscheinlich, daß freundliche Handzeichen Unfälle verhindern helfen?

2. Sollte es Verkehrsunterricht für Kinder geben? Wenn ja, was sollten Kinder im Verkehrsunterricht auf jeden Fall lernen?

3. Entwerft in Gruppen eine Liste von Regeln (im Imperativ!):
   a. für Kraftfahrer, die besonders auf Kinder achten sollen.
   b. für Kinder im Verkehr.

Besonders gefährdete Kinder im Straßenverkehr

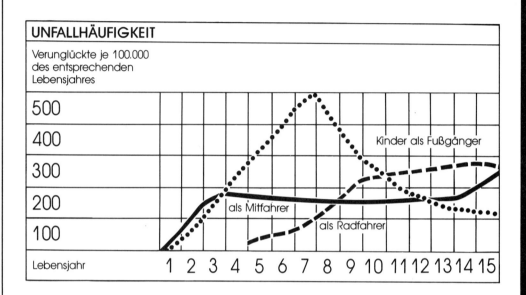

UNFALLHÄUFIGKEIT

Verunglückte je 100.000
des entsprechenden
Lebensjahres

Kinder als Fußgänger

als Mitfahrer

als Radfahrer

Lebensjahr 1 2 3 4 5 6 7 8 9 10 11 12 13 14 15

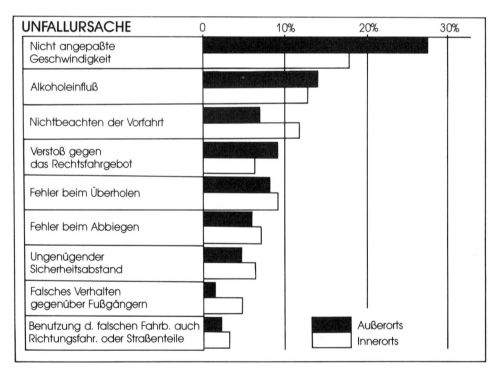

UNFALLURSACHE

Ursache	Außerorts / Innerorts
Nicht angepaßte Geschwindigkeit	
Alkoholeinfluß	
Nichtbeachten der Vorfahrt	
Verstoß gegen das Rechtsfahrgebot	
Fehler beim Überholen	
Fehler beim Abbiegen	
Ungenügender Sicherheitsabstand	
Falsches Verhalten gegenüber Fußgängern	
Benutzung d. falschen Fahrb. auch Richtungsfahr. oder Straßenteile	

Außerorts
Innerorts

Verkehrspädagogischer Pressedienst AG

Was steckt dahinter?

1 Beschreibt die einzelnen Kurven der Graphik. Welche Aussagen machen sie?

2 Gibt es plausible Erklärungen für den unterschiedlichen Verlauf der Fußgänger- und der Radfahrerkurve?

3 Welche Schlußfolgerungen müssen Eltern und Lehrer aus den dargestellten Fakten ziehen?

4 Welche Schlußfolgerungen ergeben sich für andere Verkehrsteilnehmer, insbesondere für Motorrad- und Autofahrer?

5 Verfaßt einen knappen Text, der die Graphik interpretiert und die Schlußfolgerungen für die Leser formuliert.

IGLU-AUTOS

Sieht toll aus, die weiße Pracht auf Häusern, Bäumen . . . und Autos. Aber Laternenparker haben damit ihre liebe Not. Vor allem am frühen Morgen, wenn »die Zeit drängt«. Die Folge: Viele kratzen nur die Frontscheibe frei, auf der Rückscheibe wird oft nur ein Sichtloch freigelegt – ebenso auf dem Rückspiegel an der Fahrerseite.

So fahren dann motorisierte Iglus durch die Straßen: mit trübem Funzellicht und verborgenen Kennzeichen.

Das Schneemann-Auto ist nicht nur gut für einen tiefen Griff in die Geldtasche, wenn man damit erwischt wird. Es ist auch gut für den nächsten Unfall . . . wegen deutlich eingeschränkter bis zeitweiliger Null-Sicht des Fahrers, wenn nämlich durch den Fahrtwind die Sichtlöcher wieder mit Schnee zugesetzt werden. Auch die anderen geraten in Schwierigkeiten: geringe Sichtbarkeit, abgleitende und herumwirbelnde Schneebrocken gefährden ihre Sicherheit.

Anmerkungen

die Pracht	die Herrlichkeit
erwischen	(hier) fangen
ist gut für einen Unfall	bringt die Gefahr eines Unfalls mit sich

---

Worum geht's?

Fasse den Inhalt des Artikels mit eigenen Worten zusammen.

Übung macht den Meister!

Formuliere möglichst viele genaue Imperative zum richtigen Verhalten für Laternenparker im Winter.

Blind vor Wut

Zehn vor sieben. Todsicher kommt er jetzt zu spät in den Club. Und die ganze Clique ist schon weg. Kurt ist stinksauer. Er steigt auf sein Moto und dreht voll auf.

Und gemein war das vom Chef. Eine ungeheuere Gemeinheit war das, ihn zuerst eine geschlagene halbe Stunde warten zu lassen. Und dann mußte er auch noch die Sache ausbaden, die ein ganz anderer eingebrockt hat. Die falsche Abrechnung, das war doch ganz klar die Schuld von Susanne. Volle drei Stunden hat es gedauert, bis er alles wieder auf der Reihe hatte.

Die Ampel auf Rot. Auch das noch. Jetzt ist es schon fünf vor sieben. Garantiert sind schon alle weg, wenn er ankommt. Vollgas also. Meine Güte, braucht die Frau da 'ne Ewigkeit, um in die Bahn zu kommen. Mal den Motor aufheulen lassen, das macht ihr schon Beine.

Schwein gehabt, vorm Mercedes grad noch so über die Kreuzung gerutscht. Na also, die Bahn ist frei. Bis auf den dicken Laster. Mann, jetzt bremst der auch noch ab! Also volle Pulle überholen. Die Bahn ist frei. Vielleicht warten die anderen doch noch auf mich.

Mensch, wieso blinkt der Laster denn plötzlich?

Mensch, der biegt ja nach links ab. Verdammt . . .

Moto, 2/1986

Erweitere deine Sprachkenntnisse!

Was paßt zusammen?

1	die Clique	a	Glück
2	die Sache ausbaden	b	das wird dafür sorgen, daß sie sich beeilt
3	auf der Reihe haben	c	in Ordnung bringen
4	das macht ihr schon Beine	d	Gruppe von Freunden
5	Schwein	e	unter etwas leiden

Was steckt dahinter?

1 Warum ist Kurt „stinksauer"?

2 Erkläre mit Rückgriff auf die „Formel Fair"-Texte, warum sein Verhalten andere Verkehrsteilnehmer gefährdet.

WAS HEISST HIER STATISTIK?

Statistiken sind genauso wenig Zufälle wie Unfälle. 85% der Unfälle passieren bei Fahr-Anfängern. Und noch eine Zahl: Das Risiko junger Motofahrer, im Straßenverkehr zu Tode zu kommen, ist bis zu 53mal so groß wie das von Autofahrern. 53mal! Im Jahr 1984 starben 775 Motofahrer unter 20 Jahren durch Unfälle. Und 500 der Glücklichen, die noch einmal mit dem Leben davongekommen sind, sind Dauerinvaliden. Und für einige heißt das: Rollstuhl lebenslang.

Was man aus diesen Zahlen lernen kann? Diese Frage soll jeder für sich selber beantworten.

Ich sehe ihn NIE wieder

Was heißt hier Statistik? Er war mein Freund! Chris ist tot. Vor zwei Wochen hat er mit seiner Maschine einen Unfall gebaut. Dabei hatte Chris gar nicht allein die Schuld. Klar, ein wenig zu schnell ist er gefahren. Aber immerhin auf einer Vorfahrtsstraße. Er hat gerade einen Laster überholt, da ist es passiert. Er ist voll gegen einen kreuzenden Pkw geprallt. Und war auf der Stelle tot.

Irgendwie werde ich durch irgendwas jeden Tag an Chris erinnert. Wenn ich an unserem Café vorbeifahre, wenn ich jemanden mit der gleichen Montur sehe oder jemanden, der sich genauso wie er die Zigarette anzündet.

Diesen Sommer wollten wir – Chris, Mike und ich – eine richtige Tour bis runter nach Gibraltar machen. Drei Wochen wollten wir nur fahren und fahren und fahren. Und dort pennen, wo wir gerade Lust haben. Mike sagt, er hat jetzt keine Lust mehr. Und eigentlich hab' ich auch keinen Bock, da allein runterzufahren.

Als Chris begraben wurde, haben wir ihm ein richtiges Geleit gegeben. So mit an die 50 Maschinen. Wir sind ganz langsam quer durch die Stadt gefahren. Auch an der Kreuzung vorbei, an der es passiert ist. Am Grab dann, da stand sogar auch der Typ, der den Pkw gefahren hat. Er habe Chris nicht hinter dem Laster gesehen, hat er immer wieder gesagt. Und wie leid es ihm tue.

Gestern wär' mir beinah das gleiche passiert wie Chris. Vor mir ein langsamer Laster. Und ich wollte gerade vorbei, als ich dann den Wagen rechts in der Kreuzung gesehen hab'. Vielleicht verdanke ich Chris so mein Leben.

Moto, 2/1986

Was steckt dahinter?

1   Zitiere die Stellen, die zeigen, daß Chris' Tod einen großen Eindruck auf seinen Freund gemacht hat.

2   Welcher Satz weist darauf hin, daß Chris' Freund nicht aus den Zahlen gelernt hat?

Was sagst du dazu?

1   Äußere deine Meinung über die letzte Behauptung von Chris' Freund.

2   „Klar, ein wenig zu schnell ist er gefahren". Nimm zu dieser Äußerung mit Rückgriff auf den Text „Blind vor Wut" Stellung.

Anmerkungen

der Laster(-)	der Lastkraftwagen
das Geleit	die Begleitung
die Montur	die Kleidung bzw. Ausrüstung von Motorradfahrern
keinen Bock haben	keine Lust haben (umgangssprachlich)
pennen	schlafen (umgangssprachlich)
gegen etwas prallen	zusammenstoßen

Tempo 130 km

Sensationelle QUICK-Umfrage: Zwei Drittel der Deutschen sind für Tempo 130. Und fast alle würden sich auch dran halten.
Ein grundlegender Sinneswandel mit interessanten Gründen

Deutschlands Autofahrer denken um. Die große Freiheit auf Rädern, das Privileg, als einzige auf der Welt so schnell fahren zu dürfen, wie sie wollen, scheint für zwei Drittel von ihnen nicht länger reizvoll zu sein.

Eine große Umfrage, die das Sample-Institut aus Mölln Anfang Juni im Auftrag von QUICK durchführte, brachte geradezu sensationale Ergebnisse. 66,8 Prozent der Befragten waren für die Einführung von Tempo 130 auf deutschen Autobahnen. 30,9 Prozent strikt dagegen.

Ein Resultat, das Verkehrsminister Friedrich Zimmermann zu denken geben müßte. „Für mich steht das Tempolimit nicht zur Diskussion", schmetterte der CSU-Mann erst kürzlich alle Forderungen nach einer Tempobremse vom Tisch (siehe QUICK 20/89). Doch: Insgeheim glaubt in der Bundeshauptstadt niemand mehr daran, daß Zimmermann diesen Kurs noch lange steuern kann.

Experten wissen, daß sich die Bundesregierung dem Druck der anderen EG-Mitgliedsstaaten nicht auf Dauer widersetzen kann und

früher oder später einem einheitlichen Tempolimit zustimmen muß. Schon seit Herbst 1986 liegen solche Pläne in den Schubladen des Straßburger Europaparlaments.

„Die Höchstgeschwindigkeit auf den Autobahnen ist zwischen 120 und 130 km/h festzulegen", erkannte der Verkehrsausschuß und forderte die EG-Kommission auf, dieses Ziel endlich zu verwirklichen.

Seitdem dreht sich in der Bundesrepublik das Tempo-Karussell. In schöner Regelmäßigkeit tauchen Forderungen nach einer generellen Geschwindigkeitsbegrenzung in den Schlagzeilen auf, und ebenso lautstark melden sich prompt die Befürworter der „freien Fahrt für freie Bürger" zu Wort.

Welche Gründe für ein Tempolimit führen die Deutschen nun plözlich an? Die QUICK-Umfrage gibt darüber Auskunft. Fast 87 Prozent der Tempolimit-Befürworter glauben, daß dann weniger Unfälle passieren werden. 82 Prozent sind überzeugt, daß sich die Luftqualität durch geringere Abgas-Emissionen entscheidend bessert, und immerhin 60

Prozent würden dann weniger Streß am Steuer empfinden.

Argumente, die vernünftig klingen. Die aber von den Limit-Gegnern immer wieder ins Reich der Fabel verwiesen werden. Allen voran zieht die deutsche Autoindustrie gegen die Geschwindigkeitsbeschränkung zu Felde. Die Firmen fürchten um den technischen Standard ihrer Produkte.

Eine Meinung, die nicht einmal die Tempolimit-Gegner so richtig überzeugen kann. Nur knapp 37 Prozent von ihnen meinten in der Umfrage, daß technischer Vorsprung ursächlich mit freier Fahrt zu tun hat. Sie stört an der Geschwindigkeitsbeschränkung vielmehr, daß sie sich in ihrer persönlichen Freiheit beschnitten fühlen (50,4 Prozent). Sie glauben nicht daran, daß langsameres Fahren einen Gewinn für Umwelt und Verkehrssicherheit bringt (49,6 Prozent) und sind gar überzeugt, daß das monotone Fahren mit 130 km/h die Unfallgefahr erhöht.

...darum sind die Deutschen dafür

1 Sind Sie für Tempo 130 auf den Autobahnen

	Gesamt	Frauen	Männer
Ja	**66,8**	76,6	55,6
Nein	**30,9**	19,9	43,5
Weiß nicht/ keine Angabe	**2,2**	3,4	0,9

Alle Angaben in Prozent

2 Aus welchen Gründen sind Sie für Tempo 130 auf den Autobahnen?

	Gesamt	Frauen	Männer
weniger Luft- verschmutzung	**82,4**	81,4	84,0
weniger Unfälle	**86,9**	88,4	84,4
weniger Streß am Steuer	**60,3**	60,9	59,3
Anpassung an die Tempolimits der Nachbar- länder	**55,2**	56,8	52,7
Nichts davon	**0,9**	1,0	0,7

Alle Angaben in Prozent; Mehrfach-Antworten möglich

3 Aus welchen Gründen sind Sie gegen Tempo 130 auf den Autobahnen?

	Gesamt	Frauen	Männer
der technische Vorsprung unserer Auto- mobilindustrie gerät in Gefahr	**36,7**	43,7	33,0
Einschränkung meiner persön- lichen Freiheit	**50,4**	51,9	49,6
das Tempolimit bringt nichts für die Umwelt und für die Sicherheit	**49,6**	49,0	50,0
das monotone Fahren erhöht die Unfallgefahr	**59,9**	62,0	58,8
Nichts davon	**6,8**	5,5	7,5

Alle Angaben in Prozent; Mehrfach-Antworten möglich

4 Werden Sie sich nach Einführung eines Tempolimits an Tempo 130 auf den Autobahnen halten?

	Gesamt	Frauen	Männer
Ja	**84,3**	84,2	84,5
Nein	**7,0**	2,7	11,9
Weiß nicht/ keine Angabe	**8,7**	13,1	3,6

Alle Angaben in Prozent

Quick Scharnigg/Vieweg 27/89 (gekürzt)

Anmerkungen

(die Forderung) fordern die Tempobremse	verlangen das Tempolimit (vergleiche Autobremse)
ins Reich der Fabel verweisen gegen etwas zu Felde ziehen der Raser (-) beschnitten	als unwahr ablehnen gegen etwas kämpfen jemand, der sehr schnell fährt begrenzt

Worum geht's?

Sind diese Behauptungen falsch oder richtig? Berichtige sie gegebenenfalls!

1 Auf deutschen Autobahnen gibt es keine Geschwindigkeitsbegrenzung.

2 Der Verkehrsminister möchte Tempo 130 einführen.

3 Mehr als 50 % der Bevölkerung sind gegen Tempo 130.

4 Die Bundesregierung wird gezwungen sein, ein Limit einzuführen.

5 Bisherige Umfragen haben gezeigt, daß die meisten Deutschen für ein Limit sind.

Erweitere deine Sprachkenntnisse!

Was ist das Gegenteil von

1 Tempolimit
2 Freiheit
3 Autobahn
4 Experte
5 auf Dauer
6 monoton
7 Befürworter
8 Mehrheit
9 geringere (Abgas–Emissionen)
10 zustimmen
11 zunehmen?

Was sagst du dazu?

Erörterung

Bist du für oder gegen ein Tempolimit? Verfasse eine schriftliche Stellungnahme. Bereite deine schriftliche Arbeit mit folgenden Schritten vor:

1 Sammle die Argumente für und gegen eine generelle Geschwindigkeitsbegrenzung auf Autobahnen in einer Tabelle. Ordne sie so an, daß Gegensatzpaare sich direkt gegenüberstehen.

2 Sammle, geordnet nach „für" und „wider", die Wörter und Wendungen im Text, die Zustimmung bzw. Ablehnung ausdrücken.

Wann soll man den Führerschein machen?

Jugendliche sind oft schuld an Verkehrsunfällen. Das zeigt die Statistik: Die 18-bis 25jährigen (12% der Bevölkerung) verursachen ein Drittel der schweren Verkehrsunfälle. Warum geraten sie immer wieder in gefährliche Situationen? Wissenschaftler: Jugendliche machen früh den Führerschein, haben aber noch zu wenig Erfahrung. Es dauert sieben Jahre, bis der Mensch automatisch richtig und schnell genug reagiert. In dieser Zeit lernt er und speichert alle Informationen wie ein Computer. Der Mensch muß die Fahrkunst durch viel Fahren er-fahren. Das Wort sagt es: Er bekommt Erfahrung.

Jugendscala, 2/1989

Worum geht's?

Aus welchen Gründen fordern Wissenschaftler, daß man den Führerschein später macht?

Erweitere deine Sprachkenntnisse!

Wie hängt *fahren* mit *erfahren/Erfahrung* zusammen? Mache eine Liste von ähnlichen Verben. Vergleiche:

zielen . . . erzielen
kennen . . . erkennen, usw.

Schlage die Wörter nach, und bilde dann mit ihnen Sätze.

Was sagt ihr dazu?

1 Vieles scheint gegen den jugendlichen Fahrer zu sprechen – spricht auch etwas für ihn?
2 Wie kann man Erfahrung durch Computer usw. ersetzen?
3 Welche Nachteile würden sich ergeben, wenn man den Führerschein später machte?
4 Wann sollte man eurer Meinung nach den Führerschein machen?

Wenn's klingelt, bist du durchgefallen

Worum geht's?

Burkhardt erklärt, wie man in Deutschland einen Führerschein bekommt.

Hör dir die Tonbandaufnahme gut an.

1 Schreibe Notizen zur Form und zu den Inhalten der Fahrschule bzw. der Fahrprüfung in Deutschland. Lege zuvor ein Blatt für Notizen nach dem folgenden Schema an:

	Fahrschule	Fahrprüfung
Form(en)		
Inhalte		

2 Burkhardt erzählt, wie ein Prüfling in Schwierigkeiten geraten ist. Versuche, den genauen Wortlaut wiederzugeben, indem du die Sätze ergänzst:
   a Die Dame fuhr gut, aber das Einparken . . .
   b Sie wär' beinahe . . .
   c Der Fahrlehrer darf nicht . . .
   d Wenn's klingelt, . . .
   e Die Dame . . . und schaffte es, . . .
   f Der Prüfer war . . . und sie . . .

3 Welche Unterschiede gibt es zwischen der britischen und der deutschen Fahrprüfung?

4 Wie beurteilst du die deutsche Prüfung?

Im Auto über Land

An besonders schönen Tagen
ist der Himmel sozusagen
wie aus blauem Porzellan.
Und Federwolken gleichen
weißen, zart getuschten Zeichen,
wie wir sie auf Schalen sahn.

Alle Welt fühlt sich gehoben,
blinzelt glücklich schräg nach oben
und bewundert die Natur.
Vater ruft, direkt verwegen:
»'n Wetter, glatt zum Eierlegen!«
(Na, er renommiert wohl nur.)

Und er steuert ohne Fehler
über Hügel und durch Täler.
Tante Paula wird es schlecht.
Doch die übrige Verwandtschaft
blickt begeistert in die Landschaft.
Und der Landschaft ist es recht.

Um den Kopf weht eine Brise
von besonnter Luft und Wiese,
dividiert durch viel Benzin.
Onkel Theobald berichtet,
was er alles sieht und sichtet.
Doch man sieht's auch ohne ihn.

Den Gesang nach Kräften pflegend
und sich rhythmisch fortbewegend
strömt die Menschheit durchs Revier.
Immer rascher jagt der Wagen.
Und wir hören Vatern sagen:
»Dauernd Wald, und nirgends Bier.«

Aber schließlich hilft sein Suchen.
Er kriegt Bier, wir kriegen Kuchen.
Und das Auto ruht sich aus.
Tante schimpft auf die Gehälter.
Und allmählich wird es kälter.
Und dann fahren wir nach Haus.

Erich Kästner

Anmerkungen

das Gehalt (̈ -er)	das Geld, das man verdient
das Revier	(hier) die Umgebung
renommieren	angeben, prahlen
tuschen	mit Tusche (vergleiche Tinte) malen

Worum geht's?

1 Was heißt
    a die übrige Verwandtschaft
    b alle Welt fühlt sich gehoben
    c 'n Wetter glatt zum Eierlegen?

2 Wem geht es nicht gut?

3 Wessen Kommentare sind überflüssig?

4 Wer hat Durst?

Was steckt dahinter?

1 Erkläre, welchen Ton Kästner anschlägt und wie er ihn erzeugt.

2 Schlage einen anderen Titel für das Gedicht vor!

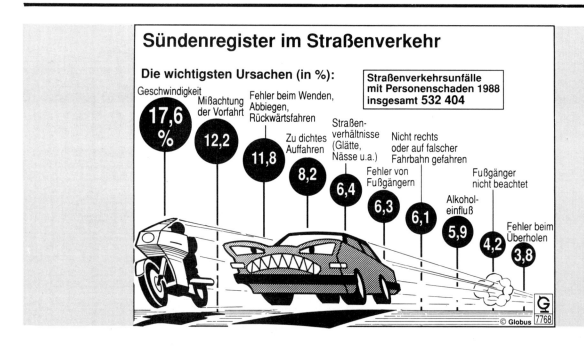

Was steckt dahinter?

1 Ordnet die angegebenen Unfallursachen der folgenden Liste von Mängeln zu.
    a Mängel in der Verkehrsregelung
       (z.B. Regeln, Verbote, Beschilderung)
    b mangelhafter Straßenzustand
    c technische Defekte am Fahrzeug
    d menschliches Versagen

2 Welche Schlußfolgerungen ergeben sich aus der Analyse der Unfallursachen für:
    a den Fahrer?
    b die Fahrschulen?
    c den Gesetzgeber im Zusammenhang mit der Tatsache, daß Jugendliche überproportional häufig Unfälle verschulden (siehe Seite 101)?

. . . ob nicht der Weg das Ziel ist

SPIEGEL-Autor Klaus Kröger über die automobilen Deutschen zu Beginn der Ferienzeit

Mit tausend Peterwagen und acht Hubschraubern, mahnte die Polizei in den Tagen vor dem Ferienbeginn in Nordrhein-Westfalen, werde sie Rasern, Dränglern und Rechtsüberholern auf der Fährte sein und photographische Beweise auch aus der Luft beibringen.

Über Rundfunk und Presse hagelte es Appelle an die Urlauber, doch möglichst nicht zu den kritischen Zeiten am Freitag nachmittag und Sonnabend früh zu starten.

Der ADAC gab wie jedes Jahr einen Staukalender heraus sowie aktuelle Informationen über Engpässe und die Zeiten größter Verkehrsdichte. Durch Meldungen in der örtlichen Presse machte der Automobilklub Telephonnummern in sieben Großstädten bekannt, unter denen die Reisenden letzte Nachrichten und Warnungen abrufen konnten. Tenor: Freitag und Sonnabend möglichst nicht, die A3 Oberhausen–Frankfurt und andere neuralgische Strecken meiden.

Doch es nützte alles nichts. Am Freitag nachmittag und Sonnabend morgen ereignete sich der erste Ausbruch der Saison, fuhr wie auf Befehl das Gros der Urlauber an. In drei Heersäulen, Richtung Norden an die Küste und auf zwei Südrouten Richtung Basel und München, rollten am Freitag etwa eine Million Fahrzeuge los, so als wollten die Insassen selber prüfen, ob das, vor dem man sie so eindringlich gewarnt hatte, auch wirklich einträfe.

Und niemand wurde enttäuscht. Immer häufiger unterbricht der Verkehrsfunk sein Schlagerprogramm, um Stockungen und Stauungen um Frankfurt, bei Karlsruhe und Würzburg zu melden, es prasselt schlechte Nachrichten von überall her. Wolkenbruch über Frankfurt, über 20 Unfälle voraus. Dann weiter mit Musik. Der Sommer-Hit „Americanos" ertönt jede Stunde und begleitet die Reisenden von Oberhausen bis Salzburg und Kufstein.

Ein umgekippter Lastzug, den ein Pkw mutig geschnitten hatte, im Fränkischen, ungezählte Auffahrunfälle, jeweils mit einem Rattenschwanz von drei Kilometern und mehr Stau versehen. Was soll's. Man hat Urlaub und will weg, nichts wie weg. Der periodisch auftretende Zwang, Heim und Herd zu lassen, ist immun gegen Strapazen und Gefahren. Nicht einmal wochenlanger mediterraner Sonnenschein und ein azurblauer Himmel über Rhein und Ruhr hemmen den Fluchtreflex.

Urlaub, das heißt hierzulande nicht nur den Fetisch Mittelmeerstrand aufsuchen, sondern auch das neue Auto, das in dieser Saison so viele fahren wie nie zuvor, erstmals der Allgemeinheit vorführen, allen zeigen, daß man zusammengehört. Das Mittelklasse-Mobil, das einen durchschnittlichen Jahresverdienst kostet, muß jetzt vergelten, was an Mühe und Entbehrung des Besitzers in ihm steckt.

Nur weil das Auto zu groß und zu teuer ist, haben ja viele eine zu kleine oder zu schlechte Wohnung. Im nachhinein aber rechtfertigt diese Form der Einkommensverwendung sich immer wieder selbst, die Ausfahrt wird zur physischen Notwendigkeit. . . .

Warum nur fahren die meisten gleichzeitig los, da doch die Schulferien sechs Wochen dauern? Und da auch die Arbeitnehmer durchweg mindestens fünf Wochen Jahresurlaub haben, was wollen sie eigentlich, von den Betriebsurlaubern abgesehen, partout an diesen Tagen auf der Rollbahn? Rationale Gründe gibt es wohl nicht. Erstaunlich ist, daß unter diesen Terminfahrern ja nicht nur die kleinen Brieftaschen gegenwärtig sind, auf der linken Fahrspur ist viel PS, ab 80 000 Mark Wert, unterwegs. . . .

Wegen des Verkehrsdrucks haben die Bundesländer den Schulferienbeginn seit langem zeitlich versetzt, aber in nicht einmal der Hälfte der Fahrzeuge – von den türkischen abgesehen – sitzen Kinder. Hingegen rollen viele Pensionäre in der Strecke mit. Was sie und die unzähligen Busse mit überwiegend älteren Reisenden ausgerechnet an diesen Tagen auf der Straße suchen, ist eines der Geheimnisse des Massentourismus.

➡

Die Bundesbahn machte wieder mal ein schlechtes Geschäft. 38 Sonderzüge fuhren halbvoll aus NRW los. Verkehrswissenschaftler prophezeien seit langem, die Faszination des Autos werde bei immer weniger Fahrt in immer mehr Zeit verblassen, das Ziel werde den Weg nicht mehr wert sein.

Sie mögen weiterforschen, die anderen werden weiterfahren. Wer so unbequem und gestreßt reist wie die Stau- und Schrittfahrer während der kritischen Urlaubstage – und dies auch noch gern –, bei dem ist noch nicht ausgemacht, ob nicht der Weg das Ziel ist. Manches spricht dafür.

Planmäßig setzte das Chaos ein. Unbeirrt von allen Warnungen dirigieren die Deutschen ihre auffallend neue Wagenflotte auf die Autobahn: In Bayern war mit 120 Kilometern der angeblich längste Stau aller Zeiten zu erleben. Obwohl inzwischen sechs Wochen Ferien die Regel sind, setzt der gemeinsame Fluchtreflex am ersten Tag ein – als böte der Stau eine geheimnisvolle Geborgenheit.

Der Spiegel, 27/1989 (gekürzt)

Worum geht's?

1 Was geschieht in jedem Sommer zu Beginn der Feriensaison?

2 Welche Maßnahmen ergriffen
    a die Polizei?
    b der Rundfunk?
    c der ADAC?

3 Auf die Warnungen wurde nicht geachtet. Welche Auswirkungen hatte das
    a auf den Autobahnen?
    b auf die Bundesbahn?

4 Welche Leute brauchen nicht unbedingt in den Zeiten größter Verkehrsdichte loszufahren?

Erweitere deine Sprachkenntnisse!

Aufgabe 1

Suche die deutschen Entsprechungen für:

1 peak periods

2 in the local press

3 it didn't do any good

4 it doesn't make any difference

5 tailback

6 staggered (holidays, etc.)

7 it's still not clear.

Aufgabe 2

Sucht im Text die Begriffe, die die folgenden Definitionen erklären. Bestimmt anschließend in den Definitionen den Fall und das Geschlecht der Relativpronomen.

1 Ein Verkehrsteilnehmer, der zu schnell fährt.

2 Ein Auto, das von der (Hamburger) Polizei benutzt wird.

3 Ein Flugzeug, dessen Antrieb aus einem großen Propeller auf einer vertikalen Achse besteht.

4 Ein Kalender, in dem die Termine von Verkehrsstaus verzeichnet sind.

5 Eine Stadt, deren Einwohnerzahl größer als 100 000 ist.

6 Eine Route, auf der sich Verkehr in Richtung Süden bewegt.

7 Ein Wissenschaftler, den Fragen der Vekehrsanalyse und -planung interessieren.

Übung macht den Meister!

Relativpronomen

Definiere die folgenden Begriffe; verwende dazu jeweils ein Relativpronomen (gegebenfalls mit Präposition) im Relativsatz.

Beispiel: Die Ferienzeit ist die Zeit, in der viele Leute nicht arbeiten müssen.

der Engpaß	der Sonderzug	die Nachricht
der Insasse	die Warnung	der Lastzug
der Auffahrunfall	die Küste	der Rattenschwanz (figurativ!)
der Jahresverdienst	die Autobahn	die Ruhr
das Bundesland	das Fahrzeug	der Arbeitnehmer
der Massentourismus	die Stockung	das Chaos

Was steckt dahinter?

Lies den *Spiegel*-Artikel und das Gedicht von
Kästner noch einmal durch und vergleiche sie
unter diesen Gesichtspunkten: .
Bequemlichkeit
Geschwindigkeit
Unterhaltung
Stimmung.

Was sagst du dazu?

Der Autor schreibt:
„Manches spricht dafür, daß der Weg das Ziel
ist". Was meint er mit dieser Aussage? Stimmst
du der Auffassung des Autors zu?

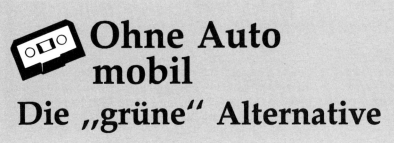

Ohne Auto mobil
Die „grüne" Alternative

Brigitte Schumann MdL in Nordrhein-Westfalen

Worum geht's?

Abschnitt 1

1 Wie bezeichnet Frau Schumann das Auto, und welche Argumente führt sie auf, um ihre
   Ansicht zu begründen?

2 Wie ist für sie der Auto-Traum zum Auto-Alptraum geworden?

3 Welche Möglichkeiten gibt es nach Ansicht von Frau Schumann, die öffentlichen
   Verkehrsmittel attraktiver zu machen?

4 Hat Frau Schumann selber auf das Auto verzichtet? Wie begründet sie ihre Position?

Abschnitt 2

5 Welche Fragen sollte man sich laut Frau Schumann stellen, bevor man eine lange Reise
   unternimmt?

6 Welche Art, innerhalb Europas zu reisen, ist für Frau Schumann „fragwürdig"?

7 Erkläre mit eigenen Worten, wie die Grünen das bestehende Wirtschaftssystem in Europa
   umstrukturieren würden.

8 Was ist mit dem Schlußwort von Klaus Oberheid gemeint?

Was sagt ihr dazu? G/K

1 Wäre es berechtigt, im Interesse der Umwelt den Reiseverkehr zu begrenzen? Welche Folgen hätte deiner Meinung nach eine solche Begrenzung?

2 Seid ihr bzw. sind eure Familien tatsächlich im täglichen Leben auf das Auto angewiesen? Gibt es keine Alternative? Wenn ja, welche Vor- und Nachteile haben sie?

3 Welche verkehrstechnischen bzw. städtebaulichen Entwicklungen sind für deine Stadt oder deine Gegend geplant, die Staus, Unfälle und Lärmbelästigung verhindern würden?

Das Parkverbot

Wir fuhren zum Einkaufen, fanden aber keinen Parkplatz, obwohl Vormittag war. Bald waren wir bereit, einen längeren Fußweg in Kauf zu nehmen, doch auch in der Umgebung suchten wir vergeblich. Ich schlug vor, ein andermal wiederzukommen oder in einem anderen Stadtteil einzukaufen. Meine Frau wäre einverstanden gewesen, doch brauchte sie ein Stück Stoff, das es nur in einem bestimmten Geschäft gab, und dieses Geschäft war hier. Ich suchte noch einmal die Gegend ab, und das brachte uns beide in eine leicht gereizte Stimmung. Als ich sie fragte, was ich denn nun tun solle, sagte sie, es wäre einfach unsinnig, wieder wegzufahren, wo wir nun schon einmal hier seien. Der Stoffkauf dauere nur ein paar Minuten und sei unumgänglich, sagte sie, ob wir uns nun zankten oder nicht.

Ich fuhr vor das Stoffgeschäft und stellte mich mitten ins Parkverbot. Ich sagte, ich wollte im Auto auf sie warten, sie möge sich sehr beeilen, denn ich stünde hier sozusagen auf dem Präsentierteller für polizeilichen Eingriff. Sie entgegnete nichts, gab mir aber mit einem Blick zu verstehen, daß sie sich wunderte, warum ich nicht gleich diesen günstigen Halteplatz gewählt hatte. Ich wartete schon ungeduldig, als sie noch gar nicht fortgegangen war. Ich sah, wie sie viel zu langsam den Bürgersteig überquerte und sekundenlange, für mein Empfinden überflüssige Blicke ins Schaufenster warf und endlich das Geschäft betrat.

Ich schaute die Straße hinauf und hinunter und sah zum Glück nicht einen Polizisten. Natürlich konnte sich das jeden Augenblick ändern. Auf der gegenüberliegenden Straßenseite standen die Autos in der erlaubten Zone, zwanzig Meter vor mir und im Rückspiegel ebenso; nur ich, wegen eines Stücks Stoff, war die Ausnahme. Ich schaltete das Radio ein, fand keine angenehme Musik, dafür aber einen Vortrag, den eine sanft klingende Frauenstimme hielt. Ich zündete mir eine Zigarette am falschen Ende an. Ich spuckte aus und nahm ein paar Züge von einer neuen

Zigarette, bis ich den Geschmack des angebrannten Filters los war. Ich entsinne mich auch, daß eine grüne Fliege plötzlich dasaß, ein wenig seltsam für den Spätherbst. Auf der Frontscheibe spazierte sie im ruckartigen Fliegengang umher. Und daß ich behutsam eine Zeitung aus dem Handschuhfach nahm, sie zurechtfaltete und kräftig zuschlug. Als ich die Zeitung wegnahm, war auf der Scheibe nichts zu sehen. Die Fliege mußte draußen gesessen haben und weggeflogen sein; ich legte die Zeitung zurück, sie war an einer Stelle eingerissen. Ich wollte darauf achten, ob meine Frau, wenn sie endlich wiederkam, noch etwas anderes als ein Stück Stoff gekauft hatte. Ich war nicht sicher, ob ihr überhaupt bewußt war, in welcher Lage ich mich hier draußen befand. Auf der anderen Straßenseite sah ich ein Auto wegfahren und ein zweites sofort darauf sich in die Lücke zwängen. Ich überlegte, ob ich die Motorhaube hochklappen und so tun sollte, als hätte ich nach einem Defekt zu suchen. Bequemlichkeit hielt mich davon ab und wohl die Hoffnung, meine Frau müsse doch nun jeden Augenblick zurück sein.

Ich erwähne das alles, um eine möglichst genaue Schilderung der Situation zu geben, die dazu führte, daß meine Stimmung nicht die beste war. Natürlich läßt sich nicht berechnen, welchen Einfluß diese Stimmung auf das folgende Ereignis und meine Entscheidung dabei hatte, von mir schon gar nicht. Ich weiß nicht einmal, ob es einen solchen Einfluß überhaupt gab, am Ende hätte ich in jeder Gemütsverfassung gehandelt, wie ich gehandelt habe.

Ich sah einen Mann auf mich zukommen. Genau gesagt, er näherte sich nicht mir, er kam eilig näher, rannte fünf, sechs Schritte, ging dann hastig, rannte wieder, als könnte er sich weder für die eine noch für die andere Fortbewegungsart entscheiden. Vermutlich war es diese Unentschlossenheit, derentwegen der Mann mir auffiel. Denn es waren noch viele andere auf dem Gehsteig, und sonst gab es keinen Grund, warum

→

ich ausgerechnet diesen Mann schon von weitem hätte ins Auge fassen sollen. Er schlenkerte die Arme eigentümlich hoch, warf sie beim Gehen hoch, als renne er. Er ging und lief wie jemand, der zu vertuschen suchte, daß er in Eile war. Plötzlich hatte ich das Gefühl, daß dieser Mann floh. Ich kann es nicht begründen, denn Eile allein ist noch kein Grund; ich weiß auch, wie prahlerisch diese Mitteilung ist, nachdem sich wenig später herausgestellt hat, daß er tatsächlich auf der Flucht war. Trotzdem: Ich hatte solch ein Gefühl.

Der Mann wollte über den Damm, der Verkehr ließ es aber nicht zu, so hastete er weiter auf meiner Seite. Dann blieb er stehen, als sei ihm etwas eingefallen, ein rettender Gedanke. Er trat an ein Auto heran und wollte die Tür öffnen. Es war offensichtlich, daß ihm das Auto nicht gehörte, ich wußte es, bevor er am nächsten Wagen rüttelte. Ich dachte sofort, ich hätte mich geirrt mit meiner Fluchtvermutung, weil ich jetzt dachte: ein Dieb! Ich dachte: Ein Dieb, der sich idiotisch auffällig benimmt.

Der Mann versuchte es an noch zwei Türen, dann war die Reihe der parkenden Autos vor mir zu Ende. Er rannte die zwanzig Meter bis zu meinem Wagen, und ich weiß noch, wie ich mich vorbeugte, um mir sein Gesicht besser anschauen zu können. Dann geschah das Erstaunliche: Der Mann öffnete die Tür meines Wagens, obwohl ich ja nicht unsichtbar darin saß . . .

Jurek Becker, Nach der ersten Zukunft, Suhrkamp-Verlag, 1980

Was steckt dahinter?

1 Zitiere drei Stellen, die beweisen, daß der Erzähler „leicht gereizt" ist.

2 Wer ist daran schuld, daß der Erzähler und seine Frau sich streiten?

3 Wie ändert sich die Einstellung des Erzählers zum Parkverbot vom ersten bis zum zweiten Abschnitt?

Was sagst du dazu?

1 Schreibe die Geschichte zu Ende.

2 In der BRD gab es schon einmal (1973) vier autofreie Sonntage. Läßt sich diese Idee in die Praxis umsetzen (z.B. an Sonn- und Feiertagen – auch werktags?) Wie denkst du darüber?

3 „Eine Vermischung von Wohnungsstruktur und Arbeitsstruktur" (Frau Schumann). Ist dieses Ziel der Grünen zu erreichen? (Denke an die aktuelle Situation in deutschen bzw. britischen Städten).

Thema 7 BR Ⓓ DR

Mit offener DDR-Grenze beginnt eine neue Ära

Massen strömten nach Westen Ost-Berlin reißt Mauer auf

FRANKFURT A.M. 10. November (FR). Mit der Öffnung der DDR-Grenze nach Westen hat für die Menschen in beiden Teilen Deutschlands eine neue Ära begonnen.

In Berlin feierten bereits in der Nacht zum Freitag Zehntausende aus Ost und West gemeinsam die neue Freiheit. Bewegende Szenen spielten sich ab. Wildfremde Menschen umarmten sich vor Freude weinend. West-Berlin platzte aus den Nähten: Eine ungezählte Menschenmenge passierte großteils unkontrolliert die Grenzübergänge. Der überwiegende Teil kehrte nach einer Stippvisite in die DDR zurück.

Die DDR will an mehreren Stellen die Mauer aufbrechen.

Die SED sprach sich am Freitag offiziell für „freie, demokratische, allgemeine und geheime Wahlen" aus.

Frankfurter Rundschau, 11.11.89 (gekürzt)

Probieren wir's doch einfach mal

WAZ-Zeichnung: Klaus Pielert

Anmerkungen

die Stippvisite	ein kurzer Besuch
SED	die Sozialistische Einheitspartei Deutschlands

Worum geht's?

Beschreibe und erkläre die Karikatur:

1 Was tun die „kleinen Leute"?

2 Wer ist der Mann, der die Mauer geöffnet hat? (Beachte die Symbole auf seiner Krawatte).

Wenn du den Namen des „Großen" in der Karikatur nicht kennst, ist das – ausnahmsweise – nicht unbedingt eine Schande. Es ist Egon Krenz. Er war Staats- und Regierungschef der DDR – allerdings nur für wenige Wochen im Herbst 1989.

Vor der Wende...

Da nur wiederum wenige Wochen nach dem Beginn der „neuen Ära" der deutschen Geschichte die „neue DDR" weder politisch noch ökonomisch stabil ist, können in dieser Auflage nur erste Eindrücke vermittelt werden. Konkreter faßbar sind natürlich die Verhältnisse, welche die vergangenen 40 Jahre Geschichte zweier deutscher Staaten bestimmt haben. Da sie Ausgangspunkte für die Entwicklungen in Gegenwart und Zukunft bilden, bietet der erste Teil des Kapitels Einblicke in 40 Jahre „Deutschland : geteilt durch zwei".

...geteilt durch zwei

Ein Dokument aus unseren Tagen: Leichtathletik-Vergleichskampf Bundesrepublik Deutschland gegen die DDR. Diskuswerfer stehen auf dem Siegerpodest. Gewonnen hat der Sportler aus der DDR. Ihm gratuliert Wolfgang Schmidt, vielfacher DDR- und Europameister, Weltrekordler, der in dem einen Teil Deutschlands in Ungnade fiel, weil er bei einem olympischen Wettkampf 1980 in Moskau die Faust gegen das johlende sowjetische Publikum erhob.

1982 saß er zehn Tage bei Wasser und Brot in einer Einzelzelle, er sollte zu dreißig Anklagepunkten Stellung nehmen. 1987 durfte Wolfgang Schmidt in die Bundesrepublik ausreisen. Seit dieser Zeit trägt er den Bundesadler am Trikot und siegt für die Bundesrepublik Deutschland. Der Versuch, dem Sieger und Kollegen von damals zu gratulieren, mißlang. Die ausgestreckte Hand blieb in der Luft hängen...

Politische Zeitung, 54/September 1988

Anmerkungen

in Ungnade fallen	*das Wohlwollen mächtiger Leute (ursprünglich Fürsten) verlieren*
johlen	*laut und unfreundlich schreien*
die Einzelzelle	*der Raum im Gefängnis, in dem der Gefangene allein gefangengehalten wird*
Stellung nehmen	*(hier) erklären, ob er schuldig bzw. unschuldig sei*

Was steckt dahinter?

1 Wie läßt sich das Verhalten der beiden deutschen Sportler bezeichnen?

2 Überlegt, wer von den beiden eher Grund gehabt hätte, freundlich/abweisend zu sein.

3 Könnt ihr das Verhalten der beiden erklären? Sammelt eure Erklärungen in der Klasse und haltet die Ergebnisse in Stichwörtern fest.

Überlegt euch auch, ob Fragen offen bleiben, und sammelt diese ebenfalls.

Von Deutschland aus

Es gibt Dinge, die drüben kaum auf Verständnis stoßen können. Zum Beispiel wenn jemand ständig von Wiedervereinigung spricht, aber lautstark »Deutschland, Deutschland« ruft, sobald die Elf der Bundesrepublik Deutschland« ruft, sobald die Elf der Bundesrepublik gegen die Mannschaft aus der DDR antritt. Es ist ja nichts Böses dabei, die eigene Mannschaft anzufeuern. Aber zum einen darf man sich ruhig auch einmal über die wahrlich imponierenden Leistungen der Sportler aus der DDR freuen. Und zum anderen sollte uns der Sport helfen, nicht hindern, uns unserer Lage als Deutsche immer wieder bewußt zu werden.

Wir leben heute in zwei voneinander unabhängigen Staaten und in zwei unterschiedlichen Gesellschafts- und Bündnissystemen. Der Begriff »deutsch«, in wesentlichen Zügen vom Schicksal der Teilung geprägt, ist der Teilung selbst aber nicht zum Opfer gefallen. Die Menschen in der DDR sind nicht nur Bürger ihres Staates, sondern sie sind zugleich auch Deutsche, Deutsche wie wir.

Richard von Weizsäcker, *Von Deutschland aus*, Wolf Jobst Siedler Verlag, Berlin 1985 (gekürzt)

Dieser Text ist ein Auszug aus einer Rede, die Bundespräsident von Weizsäcker am 8.Juni 1985 gehalten hat.

Anmerkungen

das Bündnis ein Vertrag zu gegenseitiger Hilfe
zum Opfer fallen zerstört werden

Worum geht's?

1 „Deutschland, Deutschland" – welches Deutschland ist hier gemeint, und wen bezeichnet Richard von Weizsäcker als „Deutsche"?

2 Wodurch unterscheiden sich nach von Weizsäcker die beiden deutschen Staaten?

3 In welcher Beziehung standen nach von Weizsäcker 1985 die deutschen Staaten

zueinander, in welcher die Menschen in Deutschland?

Was hat sich durch die Öffnung der DDR-Grenzen im Herbst 1989 an dieser Beschreibung geändert?

4 Welche Rolle weist Richard von Weizsäcker dem Sport zu?

Leistung ist etwas, das Spaß macht

11 000 Mädchen und Jungen wohnten in Berlin der feierlichen Eröffnung der Spartakiade bei / TSC-Leichtathlet Heiko Valentin sprach den Eid der Teilnehmer / Täve Schur, DDR-Athlet aller Zeiten, überbrachte Grüße der ehemaligen Leistungssportler.

Von unserer
Spartakiaderedaktion

Feststimmung breitete sich aus, als gestern abend die Delegationen aus allen Bezirken der DDR in ihren leuchtend bunten Trainingsanzügen in den Berliner Lustgarten zogen, um im Herzen der Hauptstadt die XII. Spartakiade in den Sommersportarten zu eröffnen. Nach der Begrüßung erhielt jede Delegation einen großen Bären als Souvenir aus der Hauptstadt. Vorher hatten 400 Spielleute des DTSB aufgespielt.

Nach der Spartakiadefanfare durch das Zentrale Orchester der NVA wurde unter den Klängen unserer Hymne die Flagge der DDR gehißt. Danach trugen Sportler das Spartakiadefeuer zur Flammenschale. Der Leipziger

XII
SPARTAKIADE
1989

Leichtathlet Torsten Nitschke entzündete unter dem Beifall der Sportler und der Ehrengäste die Flamme. Sie wird nun in den nächsten sechs Tagen als Wahrzeichen der Wettkämpfe von rund 11 000 Mädchen und Jungen

lodern. Den Eid der Spartakiadeteilnehmer spracht der TSC-Leichtathlet Heiko Valentin. Als junge Staatsbürger der DDR wollen die Spartakiadeteilnehmer ihre ganze Kraft für die Stärkung des Sozialismus einsetzen und alles für die Stärkung des Friedens tun. Sie wollen in der Schule, im Beruf, bei der Landesverteidigung und im Sport stets ihr Bestes geben.

Zum Abschluß der feierlichen Eröffnung entbot Gustav-Adolf Schur unter dem Jubel der jungen Sportler den Gruß der ehemaligen Leistungssportler.

Die Sportler aus allen Bezirken unserer Republik waren im Laufe des Vormittags eingetroffen. Sie haben sich in 102 Schulen für die nächsten Tage eingerichtet.

Junge Welt, 25.7.89

Anmerkungen

der Spielmann (Spielleute)	ein Musiker in einem Spielmannszug, also in einer Kapelle, die vor allem an Festzügen und -paraden teilnimmt und dort spielt.
DTSB	Deutscher Turn- und Sportbund
NVA	Nationale Volksarmee
lodern	mit starker Flamme brennen
der Eid	ein feierliches Versprechen

Worum geht's?

1 Wer sind die Sportler, die an der Spartakiade teilgenommen haben?

2 Welche Leistungen betont der Eid der Spartakiadeteilnehmer?

Was sagt ihr dazu?

1 Wie läßt sich mit Hilfe des letzten Satzes Richard von Weizsäckers das Verhalten des Diskuswerfers Schmidt (siehe Seite 113) erklären? Bietet der Text auch Hinweise zur Erklärung des Verhaltens des DDR-Diskuswerfers?

2 Vergleiche die Eröffnungsfeier der Spartakiade mit der einer anderen sportlichen Großveranstaltung, z.B. der Olympiade. Welche Ähnlichkeiten und welche Unterschiede gibt es?

3 Diskutiert die These: In beiden Texten wird der Sport als Mittel der Politik betrachtet und insofern mißbraucht.

Das Land

Der erste Text ist ein Auszug aus „Tatsachen über Deutschland", einem Buch, das Information über die Bundesrepublik Deutschland enthält. Der zweite Text ist aus „DDR heute", einem Heft, das über Land und Leute in der DDR berichtet. Beide sollen hier als Beispiele für die Darstellung der beiden deutschen Staaten vor dem Beginn der „neuen Ära" stehen.

Was steckt dahinter? E/K

1 Lies die beiden folgenden Texte und unterstreiche wichtige Tatsachen, die du nicht gewußt hast. Sammelt in der Klasse eure Ergebnisse. Macht eine Tabelle. (DDR-BRD)

2 Überlegt, welche der Informationen durch die neuere politische Entwicklung überholt sind. Prüft auch, ob euch wesentliche Informationen fehlen. Falls ja, sprecht ab, wer sie im Unterricht vortragen soll.

3 Lies die Texte noch einmal. Suche nun sprachliche und inhaltliche Merkmale, die erkennen lassen, welcher Text in der DDR bzw. der BRD geschrieben wurde.

Tauscht eure Ergebnisse im Unterrichtsgespräch aus.

Lübeck, Marktplatz

Köln, romanische Kirche Groß St. Martin

Deutschland liegt in der Mitte Europas, zwischen den skandinavischen Ländern im Norden, den Alpenländern im Süden, den Ländern im atlantischen Westeuropa und im kontinentalen Osteuropa. Es reicht »vom Fels zum Meer«, d.h. vom Hochgebirge der Alpen bis zur Nord- und Ostee. Nach Westen, Osten und Norden gibt es keine natürliche Abgrenzung, wodurch Deutschland seit Alters ein Raum des Durchgangs und des Austauschs von Völkern, Kulturen, wirtschaftlichen, sozialen und geistigen Kräften und Ideen, aber auch der politischen Auseinandersetzung ist.

Deutschland ist seit dem Ende des Zweiten Weltkrieges geteilt. Eine 1381 km lange Grenzlinie trennt die beiden Staaten in Deutschland: die Bundesrepublik Deutschland im Westen und die Deutsche Demokratische Republik (DDR) im Osten.

Das Staatsgebiet der Bundesrepublik Deutschland ist 248 630 km² groß. Die längste Ausdehnung von Norden nach Süden beträgt 853 km, von Western nach Osten 453 km. An seiner schmalsten Stelle mißt das Bundesgebiet zwischen Frankreich und der DDR nur 225 km. Wer das ganze Staatsgebiet umrunden wollte, müßte 4244 km Landgrenzen und 572 km Seegrenzen abfahren.

Tatsachen über Deutschland, Bertelsmann Verlag, 1988 (gekürzt)

Die Deutsche Demokratische Republik (DDR) ist der erste sozialistische Staat auf deutschem Boden. Seit ihrer Gründung am 7. Oktober 1949 wird ihre Politik von dem Ziel bestimmt, alles zu tun, damit von deutschem Boden nie wieder Krieg, sondern nur Frieden ausgeht. Mitten in Europa gelegen, hat sie gemeinsame Grenzen mit der Volksrepublik Polen, der ČSSR und der Bundesrepublik Deutschland; im Norden bildet die Ostsee die natürliche Grenze. Die Hauptstadt der DDR ist Berlin, die mit 1,2 Millionen Einwohnern zugleich die größte Stadt und das geistig-kulturelle, wirtschaftliche und politische Zentrum des Landes ist.

Mit einer Fläche von 108 333 Quadratkilometern gehört die DDR zu den kleineren Ländern. Der nördliche Teil des Landes ist flach, hat reizvolle Seen- und Waldgebiete und wird vorwiegend landwirtschaftlich genutzt. Im Süden befinden sich die größten Industriegebiete und mittelhohe Gebirge. Inmitten des Territoriums der DDR liegt Berlin (West), eine Stadt, deren politischer Status in dem Vierseitigen Abkommen zwischen der UdSSR, den USA, Großbritannien und Frankreich vom 3.9.1971 geregelt ist.

Die 16,6 Millionen Bürger der DDR sind überwiegend deutscher Nationalität. Drei Viertel von ihnen wohnen in Städten und ein Viertel in Dörfern. Als einzige nationale Minderheit leben rund 100 000 Sorben in den Bezirken Dresden und Cottbus. Sie genießen volle Gleichberechtigung und die Achtung ihrer nationalen Traditionen und Besonderheiten, die sie ungehindert pflegen können.

Die DDR heute ist ein moderner Industriestaat mit einer effektiven Landwirtschaft. Ein seit Jahren kontinuierliches Wirtschaftswachstum hat für die Bürger eine ebenso kontinuierliche Verbesserung ihrer Lebensverhältnisse gebracht.

DDR heute, 1988 (gekürzt)

Schwerin, Bezirksstadt im Norden der DDR.

Neugestaltete Fußgängerpromenade in der Kunststadt Dresden.

Übung macht den Meister!

Deklination des Adjektivs

Ergänze die passenden Adjektive. Achte auf die Endungen.

1 Der _____ Weltkrieg ist 1945 zu Ende gegangen.

2 Die DDR ist der _____ _____ Staat auf deutschem Boden.

3 Die _____ Grenze der DDR ist im Norden die Ostsee.

4 Die _____ Hauptstadt von ganz Deutschland war Berlin.

5 Berlin ist das _____ Zentrum und die _____ Stadt der DDR.

6 Die _____-_____ Grenze ist 1381 km lang.

7 1949 hat man einen _____ Staat, die "DDR", gegründet.

8 Der _____ Status von Berlin (West) wurde 1971 im Vierseitigen Abkommen geregelt.

9 Die _____ Minderheit in der DDR lebt in den Bezirken Dresden und in Cottbus.

10 Die DDR hat eine _____ Landwirtschaft.

Rekonstruierter Marktplatz von Jena.

Ziele der Jugendorganisation FDJ

Die Freie Deutsche Jugend, FDJ, ist die einheitliche sozialistische Jugendorganisation. Ihr gehören etwa drei Viertel der Jugendlichen an. In ihren Zielen widerspiegeln sich die Grundinteressen der Jugend: in Frieden und sozialer Sicherheit leben, Fähigkeiten und Talente zum persönlichen Wohl und zum Nutzen der Gesellschaft ausbilden, sich im Leben und in der Arbeit bestätigen, die Freizeit sinnvoll gestalten, politisch mitentscheiden und mit allen Völkern friedlich und freundschaftlich zusammenleben.

Im März 1946 wurde die FDJ als einheitliche, antifaschistische Jugendorganisation gegründet und die jahrzehntelange Spaltung der deutschen Jugend überwunden. Die Gründung eines einheitlichen Jugendverbandes nach der Zerschlagung des Faschismus ging einher mit dem bewußten Verzicht der neu entstandenen demokratischen Parteien auf eigene „Nachwuchsorganisationen". Auf Grund ihrer weitgesteckten Ziele, ihres Programms zum Wiederaufbau und zur demokratischen Erneuerung Deutschlands bot die FDJ Jugendlichen unterschiedlicher Konfessionen und Weltanschauung, verschiedener Klassen und Schichten von Anfang an Platz.

Jung sein in der DDR, Panorama DDR, 1988 (gekürzt)

Meetings, Demonstrationen und Solidaritätsveranstaltungen sind ein Beitrag der DDR-Jugendlichen im weltweiten Kampf für Frieden und Abrüstung.

Was sagt ihr dazu?

1   Wie beurteilt ihr die Aussage, die FDJ habe Jugendlichen „. . . unterschiedlicher Konfessionen und Weltanschauung" Platz geboten?

2   Vergleicht die Struktur der FDJ mit der einer anderen Jugendorganisation, die ihr aus persönlicher Erfahrung kennt. Welche Unterschiede gibt es?

3   Welche Organisationsform ist eures Erachtens wünschenswert?

4   Beurteile aus deiner Sicht kurz die FDJ, wie sie sich über 40 Jahre lang dargestellt hat.

Fragen an einen Arbeiter

(Harald Rademacher, Automateneinrichter im VEB Berliner Werkzeugmaschinenfabrik)

Dürfen wir fragen, was Sie verdienen?
Ich verdiene rund 1400 Mark brutto, nach Abzügen wie Lohnsteuer, Beitrag für die Sozialversicherung usw. bekomme ich 1200 Mark ausgezahlt.

Ist das ein Spitzengehalt?
Nicht unbedingt! Andere Arbeiter bei uns verdienen mehr; in meiner Abteilung kommen viele auf 1800 Mark. Das hängt von der Leistung ab, aber auch von der konkreten Arbeitsaufgabe und davon, ob man mehrschichtig arbeitet. Ich kann aus gesundheitlichen Gründen – ich habe eine chronische Hautkrankheit – nur in der Normalschicht arbeiten, da entfallen zum Beispiel die Schichtprämien. Ich fühle mich dadurch aber nicht benachteiligt. Sehen Sie, ich war in den letzten Jahren insgesamt zehnmal zu einer Heilkur, achtmal an der Ostsee und zweimal in Bulgarien. Diese Kuren kosten Tausende Mark – aber mich kosten sie keinen Pfennig, im Gegenteil: ich bekomme während des Kuraufenthaltes, der jeweils sechs Wochen dauert, Krankengeld gezahlt.

Sind Sie in Ihrer Familie Alleinverdiener?
Nein, meine Frau ist gleichfalls berufstätig – wie die meisten Frauen in der DDR. Meine Frau ist von Beruf Krippenerzieherin und hat ein Nettoeinkommen von rund 850 Mark. Wir haben drei Kinder, und ich erhalte für sie ein Kindergeld von insgesamt 300 Mark. Mit drei Kindern gelten wir als kinderreich, was verschiedene Vergünstigungen nach sich zieht: Fahrpreisermäßigungen, Ermäßigungen bei Eintrittspreisen verschiedener Art, auch weniger Miete. Für unsere Drei-Raum-Vollkomfortwohnung zahlen wir einschließlich der Kosten für Heizung und warmes Wasser 136,90 Mark monatlich. Kindergarten und Krippe waren ebenso kostenlos für uns wie jetzt die Schulbücher für die Kinder. Auch für die Teilnahme unserer Kinder an den Betriebsferienlagern brauchen wir keinen Pfennig zu bezahlen. Ich könnte noch eine ganze Reihe solcher Vergünstigungen aufzählen; manche nehmen wir, ehrlich gesagt, gar nicht in Anspruch. Kurz und gut: Wir leben nicht in Saus und Braus, aber wir müssen den Pfennig auch nicht dreimal umdrehen, ehe wir ihn ausgeben. In unserer Wohnung steht eine Hi-Fi-Anlage und ein Waschautomat, das ist nichts Besonderes, obwohl gerade Heimelektronik in der DDR noch sehr teuer ist. Ein Auto haben wir nicht, und wir wollen auch keins, wir fahren mit der Straßenbahn oder mit dem Bus oder mit der S-Bahn – für nur 20 Pfennig. Oder wir nehmen uns, wenn wir es ganz bequem haben wollen, ein Taxi. Aber wir haben uns im vergangenen Jahr ein Motorboot angeschafft.

Garantiert Wirtschaftswachstum soziale Sicherheit?, Panorama DDR, 1988 (gekürzt)

Anmerkungen

die Schicht	(hier) die tägliche Arbeitszeit
mehrschichtig	(mißverständlicher Gebrauch) eigentlich „in Wechselschicht"
das Betriebsferienlager	Ferienlager für die Kinder von Mitarbeitern eines Betriebes

Worum geht's?

Ergänze mit einem passenden Wort bzw. Satzteil:

Herr Rademacher arbeitet in der _____, aber
er arbeitet nur in der _____, weil er eine
Hautkrankheit hat. Er hat schon zehn _____
hinter sich. Er braucht dafür jedoch nicht zu
bezahlen, sondern er _____ während der
Kur Krankengeld. Seine Frau _____ rund
850 Mark als Krippenerzieherin, und für seine
Kinder erhält er Kindergeld. Wer mehrere Kinder
hat, _____ als kinderreich, und das bringt
_____ mit sich. Erstens erhält man
Ermäßigungen bei _____ und bei _____,
und zweitens gibt es verbilligten _____.
Sowohl Kindergarten _____ _____
Krippe _____ Rademachers überhaupt nichts.

Erweitere deine Sprachkenntnisse!

Aufgabe 1

Was ist das Gegenteil davon:

1 Spitzengehalt

2 benachteiligt sein

3 berufstätig sein

4 Nettoeinkommen

5 kinderreich

6 . . . manche nehmen wir gar nicht in
Anspruch.

Aufgabe 2

Erkläre auf Deutsch:

1 Volkseigener Betrieb
2 Prämie
3 Krankengeld
4 Kinderkrippe
5 Kindergeld
6 kostenlos
7 In Saus und Braus
8 Wir müssen den Pfennig nicht dreimal
umdrehen.

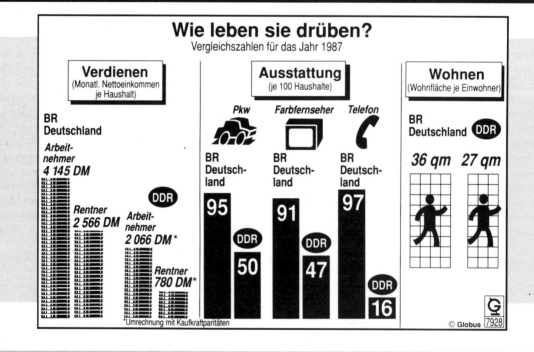

Anmerkung

Die Graphik geht von absoluten Beträgen in DM (BRD) aus. Die Angaben zu den
Einkommen in der DDR stimmen nicht in absoluten Zahlen, sondern stellen dar, wieviel man
in der DDR unter Annahme gleicher Preise an „Kaufkraft" hat.

Was steckt dahinter?

Verfasse einen kurzen Begleittext zur Graphik, der diese übersichtlich und zusammenfassend erklärt. (Der Leser soll dabei nicht durch viele Zahlen verwirrt werden; diese kann er ja bei Bedarf der Graphik entnehmen).

Als Vorübung kannst du folgende Aufgaben bearbeiten:

1 Auf welchen zentralen Aspekt, den die Graphik darstellt, weist die Überschrift nicht hin?

2 Gib die Angaben der Graphik wieder, ohne die absoluten Zahlen zu verwenden:

    a   Das Arbeitnehmereinkommen in der DDR ist _____ als in der BRD.

    b   Rentner erhalten in der BRD etwa _____ _____ Rente wie in der DDR.

    c   In der DDR steht jedem Einwohner durchschnittlich _____ _____ weniger Wohnfläche als in der BRD zur Verfügung.

3 Suche einen Sammelbegriff für Pkw, Fernsehgerät und Telefon.

Westbild

Ansprüche, Wünsche und Vergleiche resultieren bei den meisten DDR-Bürgern aus dem Bild, das sie von dem Leben der bundesdeutschen Bürger haben. Die elektronischen Medien bringen tagtäglich in die Wohnzimmer der DDR ein Westbild besonderer Art. Spielfilme, Nachrichtensendungen und besonders das Werbefernsehen vermitteln Eindrücke von der Bundesrepublik Deutschland, die nur zusammen mit dem tatsächlichen Erleben der bundesrepublikanischen Gesellschaft die Realität widerspiegeln.

Rundfunk und Fernsehen präsentieren nur eine Auswahl; das Besondere, Ausgefallene und Interessante wird gesendet. Ausgeblendet bleibt das alltägliche Leben, das ‚Normale' und ‚Übliche'. Die Botschaft des Fernsehens – schön, bunt, reich, hektisch, brutal – wird als Realität angenommen.

‚Geblendet' vom hellen Medienschein, empfinden viele DDR-Bürger ihre Lebenssituation als bescheiden und karg. Ein Gefühl der Unterlegenheit gegenüber den westlichen Landsleuten macht sich breit. Da helfen auch die Versuche der Partei- und Staatsführung, im Vergleich mit den anderen sozialistischen Staaten den relativen Wohlstand in der DDR hervorzuheben, nur wenig. Was bleibt, ist die Orientierung an den Lebensverhältnissen in der Bundesrepublik Deutschland, am westlichen Standard. Auch bei den DDR-Bürgern, die auf keinen Fall ausreisen wollen, hört man deshalb oft den Satz: „Ich möchte mal den Rhein sehen, mal selber schauen, wie es bei Euch aussieht."

Lutz Stroppe, *Alltag in der DDR*, Verlag Ernst Knoth, November 1988

Anmerkungen

(ausgeblendet) ausblenden	(Fernsehsprache) nicht zeigen
die Botschaft	die Mitteilung; das was vermittelt wird
karg	spärlich, arm

Worum geht's?

1 Wie empfinden die Bürger der DDR laut Text ihre eigene Situation?

2 Wodurch wurde das Wissen der DDR-Bürger über die Bundesrepublik beeinflußt. Nenne zwei Faktoren.

3 Was hat sich an der Situation der DDR-Bürger durch die Öffnung der Grenzen im Herbst 1989 geändert, was nicht?

Ein Sender für die Jugend

Seit März 1986 hat Jugendradio DT 64 einen eigenen Sender. Vorher gab es Jugendsendungen in den Rundfunkprogrammen vom Berliner Rundfunk, von Stimme der DDR und Radio DDR. Sie waren zeitlich begrenzt und forderten von jedem Sender eine eigene Jugendredaktion. Heute hat Jugendradio 20 Stunden Sendezeit (von 4.00 Uhr bis Mitternacht).

Die Resonanz unter den Jugendlichen ist groß, und sie gestalten aktiv mit ihren Zuschriften und Anrufen den Inhalt der Programme mit. Zu den Verdiensten von DT64 gehören schon vor der Zeit des eigenen Senders, die gesamte Rockszene der DDR und die Singe- und Liedermacherbewegung befruchtet und gefördert zu haben.

75 Prozent des Programms bestreiten die beiden Musikredaktionen. Die eine bestückt mit aktueller Rock- und Popmusik das Frühmagazin „Morgenrock", jeden Tag von 4.00 bis 8.00 Uhr, und das Nachmittagsmagazin „direkt" täglich von 13.00 bis 19.00 Uhr. Diese zwei Magazine werden wiederum von zwei „Wortmannschaften" inhaltlich betreut. Die andere Musikredaktion bietet Musik und Musikinformationen für den Abend, und zwar freitags und sonnabends sowohl Hitparaden und Partyhintergrund, als auch ganz Spezielles – von der Folklore über Jazz und Electronics bis zum Heavy-Metal. Je später der Abend, so lautet das Konzept, desto bereitwilliger folgt der Hörer einem erlesenen, tiefgründigen Angebot. Ein Pluspunkt für DT 64 – bei allem Temporeichtum moderner Funkmedien – ist seine Mitschnittfreundlichkeit. So wenig, wie der DDR-Rundfunk überhaupt gezwungen ist, sich mittels Werbung über Wasser zu halten, muß Jugendradio Rücksicht auf Verkaufsstrategien von Plattenfirmen nehmen. Hier laufen die international allerneuesten Hits ebenso wie die aktuellen Produktionen „Made in GDR".

Kultur, (Magazin aus der DDR), 1989 (gekürzt)

Worum geht's?

1   Welchen organisatorischen Vorteil bietet DT 64 im Vergleich zur Situation vor 1986?

2   Welche Programmschwerpunkte hat der Sender?

3   Was bedeutet „Mitschnittfreundlichkeit"? (mitschneiden = aufnehmen) Warum ist diese nach der Erklärung im Text ein besonderes Merkmal des Senders „... für die Jugend"?

Anmerkungen

die Resonanz	(hier) die positive Reaktion
bestreiten	machen, herstellen, abwickeln
bestücken	ausstatten, versorgen
erlesen	exklusiv, auserwählt
über Wasser halten	(hier) finanzieren

Was sagt ihr dazu?   G/K

Stellt Vorteile und Nachteile eines Jugendsenders in einer Tabelle gegenüber. Diskutiert danach in der Klasse, ob ihr euch einen Jugendsender nach dem Vorbild von DT 64 wünschen würdet.

Der einsame Tod eines „Freiheitskämpfers"

Ehemaliger DDR-Bürger nahm sich in Westberlin das Leben / Nur ein winziger Nachruf folgte publizistischem Trommelfeuer

Der Briefkasten in der Eschersheimer Straße 32 mit dem Schild „Meißner" ist übervoll. Der graue Metallkasten fällt aber auch deshalb neben den anderen leeren auf, weil er als einziger einen Aufkleber trägt. Die selbstbewußte Losung „Berlin bringt Glück" klingt jedoch angesichts der kleinen Notiz, die drei Tage zuvor eine Westberliner Zeitung brachte, ein wenig makaber (siehe nebenstehendes Faksimile).

Im Sommer 1987 hatte man Uwe Meißner noch wesentlich mehr publizistische Aufmerksamkeit in Westberlin geschenkt — da war der „Freiheitskämpfer" dem „DDR-Terror" gerade entronnen. Denn: Der Bako-Bäcker aus Pankow war – zufällig?! – am 27. September 1986 bei einer Grenzverletzung vom Westen aus von dortigen Journalisten fotografiert worden. Danach wurde fortwährend seine Entlassung aus der Staatsbürgerschaft der DDR gefordert, und schließlich war Meißner da. Detailliert wie verzerrend wurden Motive des Weggangs wie auch die Umstände seiner Republikflucht ausgebreitet. Meißner in der „Berliner Morgenpost" vom 9. August 1987: „Ich hatte das triste Leben drüben satt . . . Im Dreischichtsystem verdiente ich in meinem Beruf 750 Mark. Die Vopo (Volkspolizei - d. Red.) schikanierte mich, weil ich . . . vor dem Werktor vier Fahnen heruntergerissen habe." Die „Schikane" bestand übrigens, wie in demselben Beitrag steht, in einer Geldstrafe.

Danach aber erlosch das publizistische Interesse. Meißner war nach seiner Vermarktung zu einem der vielen Namenlosen geworden, die in Westberlin gestrandet waren

und kein politisches Kapital mehr brachten. Erstaunt darum der winzige Nachruf?

Ich klingle an allen Türen an der Eschersheimer Straße 32. Niemand öffnet. Vor dem Haus treffe

---

Lebensmüder legte sich auf die Straße – totgefahren

Vor zwei Jahren war der 24jährige Uwe Meißner aus der „DDR" nach West-Berlin gekommen. Aber der Arbeiter aus der Eschersheimer Straße 32 in Tempelhof kam hier nicht zurecht, fand keine Arbeit, fing an zu trinken.

Gestern morgen nach einer Lokaltour legte er sich auf die Fahrbahn – nur wenige Meter von seiner Wohnung. Der angetrunkene 25jährige Autofahrer Axel Sch. aus Tempelhof sah den Mann zu spät. Er überrollte Uwe Meißner. Mit schweren Verletzungen an Kopf und Oberkörper kam er ins Krankenhaus Neukölln, starb wenig später.

Unmittelbar nach dem Unfall raste Axel Sch. mit seinem Auto weg, stellte es in einer Sackgasse ab, flüchtete zu Fuß. Aber: Ein Passant beobachtet ihn, gab der Polizei einen Tip. Übers Kraftverkehrsamt wurde Axel Sch. als Halter des Autos ermittelt. Als er nach Hause kam, warteten die Beamten schon auf ihn.

ekke

---

ich eine vom Einkauf wiederkehrende alte Dame. Ja, der Meißner sei nun tot, sagt sie ohne Anteilnahme. Da drüben, vor der Nummer 18 und vis-à-vis vom Eingang des Krankenhauses Neukölln, habe er sich am Sonntagmorgen auf die Straße gelegt. In der Nummer 18 lebten viele seiner Saufkumpane, „alles solche aus dem Osten". Die meisten seien wie der Meißner ohne Beschäftigung und hingen nur an der Flasche. Die Arbeit haben die nicht erfunden, nee.

Die Distanz der Frau wirkt nicht gekünstelt. Seit 52 Jahren, sagt sie, lebe sie in dieser Gegend. An die Türken habe sie sich gewöhnt, aber an „diese Leute aus dem Osten" nicht. Die dächten immer, hier sei alles anders, man müsse nicht angestrengt arbeiten, um es zu was zu bringen. Vom Maulaufreißen werde man hier auch nicht satt. Gleich am Anfang habe sie sich mit Meißner angelegt, fährt sie fort, als dieser sein Radio so laut stellte, daß sie es unterm Dach hörte. Er wohnte im Hochparterre. Das ganze Haus habe gedröhnt. Hin und wieder wäre Meißner wochenlang weg gewesen, und wenn er da war, habe er nur gesoffen, bei sich, in der Nr. 18 oder in der Nr. 30 bei den anderen „Ostlern". Zu den Leuten im Hause selbst habe Meißner keinen Kontakt gehabt. War ein merkwürdiger Mensch, sehr merkwürdig.

Die weißhaarige Dame schüttelt den Kopf und geht grußlos ins Haus, nachdem sie es abgelehnt hatte, ihren Namen zu nennen. Was wollen Sie über so einen schreiben? hieß ihr letzter Satz.

„Berlin bringt Glück" – Westberlin auch?

Andreas Friedrich, *Junge Welt*, 25.7.1989

Anmerkungen

der Aufkleber	der Sticker
die Losung	die Devise, das Kennwort
schikanieren (die Schikane)	jemanden gemein und kleinlich behandeln
fortwährend	andauernd
um es zu was zu bringen	um wohlhabend zu werden
das Maul	Mund eines Tieres, (hier) Mund eines Menschen (vulgär)

Erweitere deine Sprachkenntnisse!

Drücke anders aus:

1   Republikflucht

2   das publizistische Interesse

3   stranden

4   politisches Kapital

5   Saufkumpane

6   Die Distanz der Frau wirkt nicht geküstelt

7   . . . habe sie sich mit Meißner angelegt

8   Die Arbeit haben die nicht erfunden

9   hingen nur an der Flasche

10 Vom Maulaufreißen werde man hier auch nicht satt.

Übung macht den Meister!

Der Konjunktiv

1   Mache eine Liste von Verben, die in diesem Artikel im Konjunktiv stehen.

2   Setze die Aussagen der alten Frau in die direkte Rede.

Beispiel: „Ja, Meißner ist nun tot", sagt sie . . .

Was steckt dahinter?

1   Welche Gründe gab Meißner (1987) für seinen Wunsch an, die DDR zu verlassen?

2   Warum wurde Uwe Meißner von Westmedien als „Freiheitskämpfer" bezeichnet?

3   Wie erklärt sich der Begriff „Republikflucht" des DDR-Journalisten?

4   Warum stehen „Freiheitskämpfer", „Berlin bringt Glück", „Schikane", „Ostler" in Anführungszeichen? Findet sich im abgedruckten Artikel aus der Westberliner Zeitung dasselbe Verfahren? Warum steht es dort?

5   Suche Stellen im vorliegenden Text, die zeigen, daß auch der DDR-Journalist den Fall Meißner für Propagandazwecke ausnutzt.

6   Welches „politische Kapital" versucht der DDR-Journalist aus dieser Geschichte zu schlagen?

Hier und dort

Hier und dort

Hier	und	dort
I hier freiheit		II hier gleichheit
dort knechtschaft		dort ausbeutung
hier wohlstand		hier aufbau
dort armut		dort zerfall
hier friedfertigkeit		hier friedensheer
dort kriegslüsternheit		dort kriegstreiber
hier liebe		hier leben
dort haß		dort tod
dort satan		dort böse
hier gott		hier gut

III jenseits von hier   und   fernab von dort
                                              such ich mir
                                              nen fetzen land
                                        wo ich mich ansiedle
                                        ohne feste begriffe

H.-Günter Wallraff (1966)

Anmerkungen

die Knechtschaft	der Zustand, in dem man ohne angemessenen eigenen Gewinn hart arbeiten muß
die Friedfertigkeit	die Haltung eifriger Bereitschaft zum Frieden
die Kriegslüsternheit	das (eigentliche triebhafte) Verlangen nach Krieg
die Ausbeutung	der rücksichtslose Ge-/Verbrauch, (hier) besonders von menschlicher Arbeitskraft
der Kriegstreiber	jemand, der ein Land/Länder in den Krieg treibt

Was steckt dahinter?

1 Der Text ist ungewöhnlich aufgebaut; beschreibe, was dir daran auffällt.

2 Lies zunächst Abschnitt 1 und erkläre, was darin ausgedrückt wird; mache anschließend noch dasselbe für Abschnitt 2.

3 Erkläre, was mit dem Titel gemeint ist.

4 Lies nun die Zeilen der Abschnitte 1 und 2 quer über die Seiten und erkläre, was damit gemeint ist.

5 Welche zentrale Kritik formuliert das lyrische Ich im Abschnitt 3?

6 Das Gedicht wurde 1966 veröffentlicht. Versuche zu klären, bis wann die von Wallraff beschriebene Situation, aktuell geblieben ist. Greife dazu auf Texte am Anfang des Kapitels zurück.

Schlagzeilen

„Die SED muß freie Wahlen zulassen"
WAZ-Gespräch mit dem Ost-Berliner Generalsuperintendenten Günter Krusche

5000 DDR-Bürger in Prag dürfen ausreisen

Viele Hunterttausend protestierten friedlich
Rücktritt der Regierung und des Politbüros erwartet

Riesendemo in Ost-Berlin

Der Ausreisestrom schwillt wieder an
35 000 DDR-Bürger kamen über CSSR

DDR-Autoren rufen nach „revolutionärer Reform"

Massenausreise aus der DDR

Krenz verspricht neue Führung und Wirtschaftsreform

SED verzichtet auf garantierte Führungsrolle
Konföderation Thema beim Parteitag

Krenz für freie Wahlen

„Runder Tisch" erörtert Wahl
Termin schon im Frühjahr?/SED gibt sich Verantwortung für Krise

SPD-Spitze: Ziel ist die deutsche Einheit

Kohl legt Plan für deutsche Einheit im Bundestag vor

DDR plant Reformen in allen Bereichen
Modrow stellt die neue Regierung vor

Anmerkungen

Generalsuperintendent	(gewählter) Vorsitzender in der evangelischen Kirche
Krenz, Egon	Generalsekretär der SED und Staatsratsvorsitzender (Staatsoberhaupt) von Oktober bis Dezember 1989
Modrow, Hans	Regierungschef nach Krenz bis zu den ersten freien Wahlen in der DDR am 18. März 1990
SED	Sozialistische Einheitspartei Deutschlands (Ost)
SPD	Sozialdemokratische Partei Deutschlands (West)
Kohl, Helmut	Vorsitzender der CDU (Christlich Demokratische Union(West)) und Bundeskanzler (Regierungschef der Bundesrepublik)

Was steckt dahinter?

1 Welche Gründe für die tiefgreifenden Veränderungen in der DDR im Herbst 1989 lassen die Schlagzeilen (links) erkennen?

2 Welche Tendenzen für die zukünftige Entwicklung in Deutschland lassen die Schlagzeilen (rechts) erkennen?

Sprechchöre und Plakate mit lockeren Sprüchen

Die Demonstrationen in Ost-Berlin schufen – bei allem Ernst ihres Anliegens – auch kreative und lustige Sprüche. Hier eine Auswahl der Transparent-Aufschriften und Sprechchöre.

WER EINMAL LÜGT DEM GLAUBT MAN NICHT EH'ER NICHT MIT DER LÜGE BRICHT. AUCH WENN ER JETZT GANZ ANDERS SPRICHT

Privilegien für alle

☆

Losung zum 1. Mai: Die Führung zieht am Volk vorbei

☆

Macht die Volkskammer zum Krenz-Kontrollpunkt

☆

Radikale Wende oder Ende

☆

Zu alten Köpfen passen keine neuen Perücken

☆

Trittbrettfahrer zurücktreten

☆

Die Demokratie in ihrem Lauf halten weder Ochs noch Esel auf

☆

Egon, warum hast du so große Zähne?

☆

Noch haben wir Geduld

☆

Es lebe die Oktoberrevolution 1989

☆

Jetzt geht es nicht mehr um Bananen, jetzt geht es um die Wurst

☆

Blumen statt Krenze

☆

Sägt die Bonzen ab, schützt die Bäume

☆

Für die zweiseitige Bemalung der Mauer

☆

Reformismus statt Ego(n)ismus

☆

Glasnost und nicht Süßmost

☆

Volksauge sei wachsam

☆

Wir sind keine Fans von Egon Krenz

Mit Pässen könnt ihr uns nicht fangen

☆

Wir wollen endlich Taten sehen, sonst sagen wir ‚Auf Wiedersehen'

☆

Eure Politik war und ist zum Davonlaufen

☆

Das Volk sind wir, gehen solltet ihr

☆

Mißtrauen ist die erste Bürgerpflicht

☆

Unbekrenzte Macht den Räten

☆

SED allein – darf nicht sein

☆

Wer war Egon Krenz?

WAZ, 6.11.89

Anmerkungen

die Volkskammer	das Parlament der DDR
die Perücke	künstliches Haar
der Trittbrettfahrer	(wörtlich) jemand der (zu spät) auf einen bereits fahrenden Zug aufspringt, (hier figurativ gemeint)
. . . große Zähne	eine Anspielung auf das Märchen von Rotkäppchen. Darin stellt das kleine Mädchen dem Wolf, der sich als Großmutter verkleidet hat, Fragen wegen seines ungewöhnlichen Aussehens
Oktoberrevolution	Verweis auf die Revolution in Rußland im Oktober 1917
Bananen	in der DDR hat es wegen Devisenmangels (das heißt Mangel an Geld aus dem Ausland) nur selten ein ausreichendes Angebot an Südfrüchten gegeben
es geht um die Wurst	es geht um die Entscheidung
absägen	(hier figurativ) jemanden entmachten (vergleiche die Säge; Werkzeug)
Bonze	(umgangssprachlich) Parteifunktionär (verächtlich)

Was steckt dahinter?

1 Erkläre die Bedeutung der Sprüche mit eigenen Worten.

2 Welche Kernpunkte der Kritik und der Reformforderungen kannst du erkennen? Fertige Stichwortlisten an.

3 Welche Punkte geben auch die Schlagzeilen der Tageszeitungen aus der BRD wieder? Welche fehlen dort oder welche kommen hinzu?

WESTDEUTSCHE POLITIKER IN WEST-BERLIN, 9. NOVEMBER 1989

Höre die Rundfunkreportage abschnittweise, und beantworte anschließend die Fragen.

Abschnitt 1

Walter Mompers Redè:

1 Was ist
   a   am 13. August 1961
   b   am 9. November 1989
   passiert?

2 Wozu wird das Volk der DDR beglückwünscht?

3 Wie äußert sich Walter Momper zur Frage der Wiedervereinigung?

Abschnitt 2

Hans-Dietrich Genschers Rede:

Liste die Veränderungen auf, die nach Meinung von Hans-Dietrich Genscher dem Willen des DDR-Volkes entsprechen.

Abschnitt 3

Willi Brandts Rede:

Konnte man nach Meinung von Willi Brandt den Abbau der Mauer voraussehen? Warum?

Abschnitt 4

Interview mit Willi Brandt:

1 Was ist für Willi Brandt am wichtigsten bei den Neuerungen?

2 In welcher Reihenfolge sollen die Reformen erfolgen?

3 Fasse stichwortartig zusammen, was Willi Brandt an diesem Tag empfindet.

4 „. . . damit das zusammengefügt wird, was zusammengehört". Wie interpretierst du diese Aussage?

Abschnitt 5

Interview mit Leipziger Bürgerinnen bzw. Bürgern:

1 Wozu fährt die Dame nach West-Berlin?

2 Was sagt sie über die BRD-Bürger?

3 Was steht für sie fest? Warum?

4 Was bedauert der junge Mann?

5 Was müßte es nach Ansicht des zweiten Herrn außer offenen Grenzen noch geben?

6 Wie ist dem letzten Sprecher zumute?

Berliner tanzen auf der Mauer

Jubelfeiern nach Öffnung der DDR-Grenzen

9. November 1989

Leben ohne Mauer

Die Mauer wurde überwunden, einfach so, weil in der logischen Folge eines von unten erzwungenen Umbaus der DDR sich die Mär vom existenzgarantierenden „antifaschistischen Schutzwall" in Luft aufgelöst hat, weil das SED-Regime die Bürger nicht mehr daran hindern kann, dorthin zu gehen, wohin sie wollen und können. Die Szenen im nächtlichen Berlin, diese Mischung aus Freude und Taumel, dieser überwältigende und bewegende Direktvollzug des fundamentalen Rechts, frei zu ziehen, zeigten unwiderlegbar, was die Ost-Berliner Machthaber in all den Jahren ihrem Volk angetan haben.

Man kann in diesen Tagen nicht bloß angespannt und auf jede Überraschung gefaßt nach Ost-Berlin starren. Es wäre kurz-sichtig, die dramatischen Entwicklungen von einer europäischen Wirklichkeit abzukoppeln, die von Schlagworten wie Glasnost, Perestroika, Binnenmarkt oder deutscher Frage gezeichnet ist. Auf die DDR kommt die Sisyphus-Arbeit eines fundamentalen Neuanfangs zu. Offen bleibt bis auf weiteres, ob die Baumeister der Runderneuerung zum Schluß noch über alle Elemente eines Staatsgebildes verfügen, also nicht nur über einen territorialen Machtbereich, sondern auch über die legitimationsbildende Menge an Staatsvolk.

Und die Bundesrepublik? Sie durchlebt möglicherweise phasenweise im Prinzip noch einmal die Nachkriegsjahre. Wie verkraften wir jene, deren Mißtrauen in ihren Staat durch nichts zu beseitigen ist, die in den Westen aufgebrochen sind, aufbrechen werden? Weiter: Wie reagiert ein reiches Land auf den wachsenden Druck, mit Milliarden-Beträgen zu helfen: den Polen, der Sowjetunion, Ungarn und – natürlich – vor allem der DDR? Hintergründig wirkt der Gedanke, erst jetzt werde die ganz große Rechnung nach dem Zweiten Weltkrieg dem Land präsentiert, dessen damalige Machthaber das Inferno entfesselt haben und das, ökonomisch gesehen, heute wie der eigentliche Sieger dasteht.

Für eine Nacht war in Berlin ohne jede Bürokratie die Mauer überwindbar. Zu schön, um wahr zu sein? Die Bundesrepublik hat seit ihrem Bestehen noch nie soviel Verantwortung für Ereignisse gehabt, die nicht auf ihrem Territorium ablaufen.

Roderich Reifenrath, *Frankfurter Rundschau*, 11.11.89 (gekürzt)

Anmerkungen

die Mär	(siehe das Märchen, Kapitel 2) (hier) die frei erfundene, unwahre Aussage
der antifaschistische Schutzwall	Propagandabezeichnung für die Mauer, erklärt sie als Schutzmaßnahme gegen Faschisten im Westen
die Sysiphus-Arbeit	eigentlich unlösbare Aufgabe (Sysiphus ist eine Gestalt der griechischen Mythologie)
die Runderneuerung	die umfassende Erneuerung (eigentlich gebräuchlich bei Autoreifen)

Was steckt dahinter?

1 Welche beiden Gründe nennt der Verfasser als entscheidend dafür, daß die Mauer überwunden wurde?

2 Was meint der Verfasser mit dem zweiten Satz des zweiten Abschnitts?

3 Warum zieht der Verfasser im dritten Abschnitt einen Vergleich mit den Nachkriegsjahren?

4 Um welche „Rechnung" geht es im dritten Absatz?

5 Wie steht der Verfasser zur Frage der deutschen Einheit?

6 Zu welcher Textsorte gehört dieser Artikel?

Neues aus der Zwillingsforschung

WAZ-Zeichnung: Klaus Pielert

Was steckt dahinter?

1 Beschreibe kurz die dargestellte Szene (Aussehen, Tätigkeiten; welchen Eindruck machen die Personen im Mittelpunkt?)

2 Kennst du die vier Ärzte? Sie sind führende Politiker. (Falls du sie nicht erkennst, findest du ihre Namen am Fuß dieser Aufgaben). Welche vier Staaten repräsentieren sie? (Vergleiche dazu gegebenenfalls die Information zum Status von Berlin auf Seite 117.)

Kannst du erklären, warum gerade diese vier Staaten vertreten sind?

3 Das Interesse der „Ärzte" und der „Krankenschwester" EG gilt der Figur, die als „deutscher Michel" in Karikaturen den unpolitischen Deutschen verkörpert. Welche Pointe(n) siehst du in der Karikatur?

François Mitterrand, George Bush, Margaret Thatcher, Michael Gorbatschow

Giscard gegen Wiedervereinigung

Auch in Großbritannien Sorgen wegen der „deutschen Frage"

PARIS/WARSCHAU/LONDON
Die Entwicklung in der DDR und die aufkommende Diskussion über eine deutsche Wiedervereinigung ist in einigen Staaten Europas, so in Frankreich, Großbritannien und Polen, mit gemischten Gefühlen aufgenommen worden und hat teilweise zu negativen Stellungnahmen geführt.

Sehr entschieden gegen einen gesamtdeutschen Staat hat sich der frühere französische Präsident Giscard d'Estaing ausgesprochen. In einer Rundfunksendung vertrat Giscard die Auffassung, daß die Einheit Deutschlands das Ende der Europäischen Gemeinschaft bedeuten würde. Er erklärte: „Wir haben unsere europäischen Institutionen auf der Basis eines ungefähren Gleichgewichts der europäischen Länder aufgebaut. Es darf nicht geschehen, daß die Ankunft der Ostdeutschen Hand in Hand geht mit der Schaffung eines Staates, dessen Gewicht unvereinbar wäre mit unseren Institutionen."

Die britische Premierministerin Thatcher ist nach britischen Presseberichten zunehmend besorgt, daß die sich überschlagenden Ereignisse in der DDR die schwierige Position des sowjetischen Staats-und Parteichefs Gorbatschow gefährden könnten. Die Sorgen der Regierungschefin artikulierte der Staatsminister im Foreign Office, Waldegrave, im BBC-Fernsehen, als er vor einem Austritt der DDR aus dem Warschauer Pakt warnte. Frau Thatcher ist gegen neue Initiativen in der Deutschland-Politik. Aus ihrer Sicht steht die Wiedervereinigung noch nicht auf der Tagesordnung. Jedes Gerede über die Wiedervereinigung würde zwangsläufig die Frage einer Neuordnung in Europa –mit dem Austritt der DDR aus dem Warschauer Pakt – aufwerfen.

WAZ, 14.11.89 (gekürzt)

Was steckt dahinter?

1 Warum spricht sich ein bekannter Franzose, warum die britische Premierministerin gegen eine deutsche Wiedervereinigung aus?

2 Geben Texte in diesem Kapitel (z.B. von Richard von Weizsäcker, siehe Seite 114, z.B. von Roderich Reifenrath, siehe Seite 129, z.B. die Reden und Interviews zum 9.November 1989 siehe Seite 128) Hinweise darauf, in welchem Maße in Deutschland die Befürchtungen der Nachbarn erkannt und verstanden werden?

Was sagt ihr dazu?

1   Für wie wichtig haltet ihr die Argumente gegen die Wiedervereinigung? Begründet eure Auffassung.

2   Fasse kurz die Grundzüge der politischen Entwicklung in Deutschland in der zweiten Hälfte des Jahres 1989 zusammen.

3   Schreibe einen Brief an eine(n) junge(n) Deutsche(n) in der DDR, in dem du deine Meinung zu der „neuen Ära" darstellst und erläuterst.

West-Alliierte für volle deutsche Souveränität

Bush und Mitterrand: Sonderrechte auch für Berlin aufheben
KEY LARGO (ap)

Die drei westlichen Siegermächte des Zweiten Weltkriegs wollen einem vereinten Deutschland die volle Souveränität über das gesamte Staatsgebiet ohne jedwede Einschränkung geben. Dies machte US-Präsident Bush nach einem Gespräch mit dem französischen Staatspräsidenten Mitterrand in Key Largo (Florida) deutlich.

Schon bei den bevorstehenden Gesprächen der vier Siegermächte mit den beiden deutschen Staaten sollten die Sonderrechte und die Verantwortung der Alliierten für Berlin und Deutschland als Ganzes aufgehoben werden, sagte Bush. Mitterrand stimme seiner Erklärung zur deutschen Souveränität zu, sagte Bush. Zustimmend hatte sich zuvor auch die britische Premierministerin Thatcher nach einem Treffen mit Bush geäußert.

Ferner bekräftigten Bush und Mitterrand ihre Forderung, daß das vereinte Deutschland Vollmitglied der Nato sein solle. Sie vereinbarten ein Gipfeltreffen der 16 Nato-Staaten über die Umwälzungen in Europa noch in diesem Jahr. Themen dieser Gipfelkonferenz sollten unter anderem die künftige Rolle der US-Streitkräfte in Europa und die Gestaltung der Konferenz für Sicherheit und Zusammenarbeit in Europa (KSZE) sein. Der KSZE-Prozeß müsse gestärkt werden, um die Teilung Europas zu überwinden.

Anmerkungen

jedwede	irgendeine
ferner	außerdem
bekräftigen	(mit Nachdruck) wiederholen
die Umwälzung	die (tiefgreifende) Veränderung

WAZ, 21.4.90

Die Siegerrechte

Das vereinigte Deutschland wird demokratisch, es wird europäisch, und es wird blockübergreifend in die KSZE eingebunden sein. Diesem Deutschland die Souveränität zu verweigern, wäre eine grundlose Diskriminierung.

Daß die westlichen Alliierten bereit sind, Deutschland (und damit auch Berlin) in die Souveränität zu entlassen, ist zu begrüßen. Doch über Gesamtdeutschland (wie über Berlin) können die Vier nur gemeinsam befinden. Die Sowjetunion für den Verzicht zu gewinnen, wird deshalb ein wichtiger Gegenstand der kommenden Verhandlungen sein.

Gelingen kann das nur, wenn die Sowjetunion davon zu überzeugen ist, daß ihre Sicherheit auch anders als durch Siegerrechte gewährleistet werden kann. Nicht zufällig nennt Bush den Fortbestand der Nato in einem Atemzug mit dem Verzicht auf die Siegerrechte. Zweck der Nato war es von Anfang an, die Amerikaner in Europa zu halten und die Deutschen an neuen Abenteuern zu hindern. Auch künftig könnte sie beides leisten.

Daß zur europäischen Stabilität die amerikanische Anwesenheit gehört, ist Moskau schon ziemlich klar. Nun müssen die Sowjets noch davon überzeugt werden, daß Gesamtdeutschland in der Nato besser aufgehoben ist, als wenn es in eine verführerische Neutralität entlassen würde.

Weil alles zusammenhängt und aufeinander wirkt, wäre Ungeduld jetzt nur schädlich. Moskau durch deutsches Drängeln mißtrauisch zu machen, wäre ein fataler Beitrag zum schwierigen Werk, eine neue Ordnung für Europa zu schaffen.

Ralf Lehmann, WAZ, 21.4.90

Anmerkungen

einbinden	(hier) integrieren
in die Souveränität entlassen	(hier) die vollen Rechte geben, indem die Alliierten die Siegerrechte aufgeben
gewährleisten	sicherstellen

Worum geht's? G/K

Bearbeitet die folgenden drei Aufgaben in Gruppen; vergleicht anschließend die Ergebnisse in eurer Klasse.

1 Faßt den Nachrichtenkern des Berichts in zwei Sätzen zusammen. (Ihr könnt Teile der Vorlage verwenden. Achtet aber darauf, korrekte Sätze zu bilden.)

2 Welche Aufgaben hat nach Meinung des Kommentators die Nato in der Vergangenheit erfüllt, und welche Rolle soll sie in der Zukunft übernehmen?

3 Welche übergreifende Aufgabe sieht der Kommentator als Folge der Vereinigung Deutschlands?

Was steckt dahinter?

1 Welche Hinweise geben diese beiden Texte vom April 1990 auf Stimmungsänderungen seit dem November 1989

     a in Deutschland

     b bei den Siegermächten?

Seht euch dazu noch einmal an

zu   **a** „Berliner tanzen auf der Mauer (Seite 129)

          „Leben ohne Mauer (Seite 129)

zu   **b** „Giscard gegen Wiedervereinigung" (Seite 131)

          „Neues aus der Zwillingsforschung" (Seite 130)

Was sagt ihr dazu? E/G

Rollenspiel

Im Winter 1989/90 war das Fernsehen in der BRD voll von Diskussionsrunden zum Thema der Einheit Deutschlands und ihrer Auswirkungen. Spielt eine Fernsehdiskussion mit Jugendlichen aus verschiedenen Ländern im Rollenspiel.

Teilnehmer: Moderator
Je ein(e) jugendliche(r) Teilnehmer(in) aus:
    der DDR
    der BRD
    Großbritannien
    Frankreich
    Luxemburg
    Irland

Ihr könnt entweder den Sprechern der Rollen in Gruppen dabei helfen, sich auf die Diskussion vorzubereiten, oder jeder von euch bereitet sich – nach Absprache – zu Hause auf eine Rolle vor. Achtet darauf, daß ihr die Hinweise auf die politischen Veränderungen berücksichtigt, die die Texte dieses Kapitels enthalten. Nehmt aber besonders eure Situation als Jugendliche ernst und bedenkt, welche Probleme und Chancen die Veränderungen für euch schaffen können.

Thema 8   Nationalidentität

Muß es die ganze Hymne sein?

DEUTSCHLAND-KLISCHEES

„Heil Hitler!" sagte der englische Junge zu seinem deutschen Freund und lachte. Thomas (15) – mit seiner Klasse zu Besuch in Bridgewater – war schockiert: Der Nazi-Gruß als englischer Witz im Jahr 1986? Auch 40 Jahre nach Krieg und Nazi-Zeit haben manche Engländer noch ein schlimmes Bild von den Deutschen. Das lernten Thomas und die anderen Schüler aus Felsberg in Hessen beim Besuch ihrer Partner-Klasse in England. Bei einem Gang durch die Stadt fanden die jungen Deutschen Comic-Hefte mit Titeln wie „WARLORD" oder „TORNADO" – wilde Kriegsgeschichten mit englischen Helden und deutschen Nazi-Teufeln. Die Deutschen in diesen Comics heißen Fritz oder Heinz und sind groß, dumm und brutal. Die jungen Deutschen fragten sich: Sind wir die Kinder von Horror-Figuren? Natürlich denken nicht alle Engländer so, auch nicht die Jugendlichen. Aber die Felsberger Schüler stellten doch fest, daß viele ihrer Freunde uralte Klischee-Vorstellungen von Deutschland hatten. Zurück in der Heimat sammelten sie in der Schule ihre Erfahrungen:

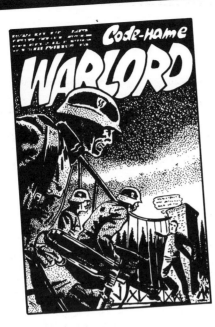

Sie stellten eine Liste der häufigsten Deutschland-Klischees auf . . .

FLEISS . . . EHRGEIZ . . . ZUVERLÄSSIGKEIT . . . GEHORSAM . . . GEMÜTLICHKEIT . . . BIER . . . TRADITION . . . GESCHICHTE . . . MÜNCHEN . . . BAYERN . . . ALPEN . . . SCHNEE . . .

. . . und sammelten dann ihre eigenen Schlagwörter zum Thema Bundesrepublik Deutschland:

LEBENSQUALITÄT . . . SOZIALE SICHERHEIT . . . DEMOKRATIE . . . FREUNDSCHAFT ZU ANDEREN LÄNDERN . . . BORIS BECKER . . . AUSLÄNDERFEINDLICHKEIT . . . UMWELTVERSCHMUTZUNG . . .

Worum geht's?

1   Erklärt mit je ein bis zwei Sätzen, was mit den Klischeebegriffen gemeint ist. Schlagt Begriffe, die niemand von euch erklären kann, zu Hause im Wörterbuch nach. Notiert die Ergebnisse in Stichwörtern und vergleicht diese vor der Bearbeitung des nächsten Textes.

2   Sammelt weitere Schlagwörter, die eures Erachtens Deutschland charakterisieren, in einer Liste. Definiert auch diese Schlagwörter kurz.

Was sagt ihr dazu?

1   Versucht zu erklären, warum die deutschen Schüler das Bedürfnis hatten, eine eigene Schlagwortliste (Liste 2) zusammenstellen. In welcher Weise unterscheidet sich die deutsche von der englischen Liste?

2   Gibt es überhaupt so etwas wie einen Regional- oder Nationalcharakter? Falls ihr das glaubt, nennt Beispiele und diskutiert sie in der Klasse. Könnt ihr auch Ursachen erkennen?

HEIMAT

Vor dem Besuch der englischen Partnerklasse in Felsberg versuchten die deutschen Jugendlichen dann, ihr eigenes Heimat-Bild etwas genauer in Worte zu fassen. Jeder Schüler äußerte sich in einem kurzen Aufsatz persönlich zu der Frage: Wie möchtest du als Deutscher gesehen werden?

MEIKE (16)
Eigentlich fühle ich mich nicht als „die Deutsche". Es gefällt mir sehr gut hier, weil einem der Wohlstand eine gewisse Sicherheit gibt. **Aber ich könnte genausogut Italienerin oder Französin sein.** Trotzdem freue ich mich, wenn Deutschland im Sport gewinnt. Wir sind hier geboren. Deshalb ist da doch irgendwie ein Heimat-Gefühl, auch wenn wir es selbst manchmal nicht wahrhaben wollen.

KERSTIN (16)
Ich fühle mich nur durch die Sprache mit Deutschland verbunden und durch die Familie und meine Freunde. Es ist nicht wichtig für mich, ob ich zum Beispiel in Ägypten oder in Deutschland lebe. **Ich brauche kein „Heimatland", um mich wohl zu fühlen.** Darum möchte ich auch nicht, daß Leute im Ausland Vorurteile gegen mich haben wegen der deutschen Vergangenheit. **Oft finde ich die Deutschen etwas kühl, uninteressiert, hektisch – immer mit dem Blick aufs Geld.** Daher möchte ich manchmal in einem anderen Land leben. Aber ich finde, daß wir zufrieden sein können, weil jedes Land wohl gute und schlechte Seiten hat.

EVA-MARIA (15)
Ich bin in Deutschland geboren und fühle mich – trotz allem, was über dieses Land gesagt wird – mit ihm verbunden. **Deutschland ist meine Heimat.** Ich sehe durchaus auch die Nachteile, die dieses Land hat, und die Probleme, wie zum Beispiel Arbeitslosigkeit, Umweltverschmutzung und Terrorismus. Aber dazu eine Frage: Haben andere Länder diese Probleme nicht auch? Wir sind doch sozial versorgt und abgesichert. Und wir haben unsere Rechte und sind fortschrittlich. Ich lebe im heutigen Deutschland, und ich identifiziere mich auch damit – nicht mit der Vergangenheit. Ich habe schon oft andere Länder und Städte besucht. In Budapest oder Wien zum Beispiel könnte ich bestimmt eine Zeitlang leben. Aber dann würde es mich wohl immer wieder nach Deutschland zurückziehen, denn **es ist jedesmal ein schönes Gefühl, wieder in dieses Land zurückzukehren.**

THOMAS (15)
Ich sehe mein Vaterland positiv. Aber das Sprichwort „Verzeihen kann man, vergessen aber nicht" betrifft auch Deutschland. **Das heutige Deutschland sehe ich als einen sozialen und menschenfreundlichen Staat.** Er bemüht sich um menschliche Beziehungen zu anderen Ländern. Das muß man doch auch mal sehen! Aber ich interessiere mich auch für die negativen Seiten – zum Beispiel die Umweltverschmutzung. Allgemein finde ich: Wer in Deutschland lebt, lebt in Einigkeit, Recht und Freiheit. Deutschland ist ein Vorbild für andere Staaten, weil es durch sein Gerechtigkeitsprinzip auch überzeugt.

JOCHEN (16)
Ich bin stolz, ein Deutscher zu sein. Ich habe die Möglichkeit, in einer hochentwickelten Gesellschaft zu leben. Als Deutscher muß ich dafür arbeiten, daß diese Gesellschaft sich weiterentwickelt. Ich möchte, daß auch unsere Nachbarn stolz auf ihr Vaterland sind. Als Deutscher darf man seine Vergangenheit nicht vergessen, man muß mit ihr leben. Aber man darf natürlich auch nicht mehr für diese Vergangenheit verantwortlich gemacht werden. Denn: **Deutschland ist heute eine ganz normale Industrienation und nicht das Nazi-Zentrum der Welt.**

Erweitere deine Sprachkenntnisse!

1   Suche weitere Begriffe zum Wortfeld „Heimat" in den Schülerarbeiten.

Übung macht den Meister!

Wortstellung

Vervollständige die Aussagen:

1   Kerstin möchte nicht, daß Ausländer wegen der deutschen Vergangenheit Vorurteile gegen sie haben, weil . . .

2   Thomas interessiert sich auch für die negativen Seiten, aber insgesamt . . .

3   Jochen ist stolz, ein Deutscher zu sein, weil . . .

4   Eva-Maria fühlt sich mit Deutschland verbunden, obwohl . . .

5   Eva-Maria sieht durchaus Nachteile, die ihr Land hat, aber . . .

6   Eva-Maria würde es nach einer Weile im Ausland wieder nach Deutschland zurückziehen, weil . . .

7   Meike könnte genauso gut Italienerin oder Französin sein, aber trotzdem . . .

8   Meike gefällt es gut in Deutschland, weil . . .

Was steckt dahinter?

1   An welche Alternativen denken die Schreiber?
Suche das Gegenteil der aufgeführten Begriffe:

(*Meike*)   Wohlstand:
            Sicherheit:
(*Thomas*) Recht:
            Freiheit:
(*Jochen*) hochentwickelt:
            Vergangenheit:
            Industrienation:
(*Eva-Maria*) Nachteile:
            Arbeitslosigkeit:
            fortschrittlich:

2   Lies die Kommentare noch einmal durch, und fasse in je einem knappen Abschnitt schriftlich zusammen, was die Deutschen Positives/Negatives zu „Land" bzw. „Leuten" zu sagen haben.

Eine Türkin in Deutschland

Die heute 27jährige Meral Yetimoglu kam mit 16 Jahren nach Deutschland. Als ihre Eltern im vergangenen Jahr wieder in die Türkei zurückgingen, blieb die junge Frau in Essen. Die Türkin hatte inzwischen Sozialarbeit studiert und einen Deutschen geheiratet. „Ich bin Türkin", sagt sie. „Ich sehe gar keinen Grund, warum ich mit einem deutschen Paß herumlaufen soll." Das Wahlrecht beispielsweise, das sie als Deutsche ausüben könnte, sei für sie kein Argument. „Da ist es besser, wenn ich dafür kämpfe, daß auch Ausländer ein Wahlrecht bekommen." Politisch engagiert sich die 27jährige in der anti-rassistischen Gruppe „Gelbe Hand".

„In der Türkei war es mir egal, welche Staatsbürgerschaft ich habe", sagt Meral. „Seitdem ich hier lebe, ist mir klar, daß ich Türkin bin." Sie müsse – ob mit oder ohne deutschen Paß – weiter mit dem Spießertum und den Vorurteilen mancher Menschen kämpfen. Und sie nimmt diesen Kampf bewußt auf: „Nicht weil ich als Türkin einen Nationalstolz besitze, sondern weil ich hier gelernt habe, als Ausländerin ein Bewußtsein zu haben."

WAZ

Anmerkungen

(das Spießertum) der Spießer	jemand, der dem (Klein)-Bürgertum angehört und für Ausländer, unkonventionelles Verhalten, usw. wenig Verständnis hat
ein Bewußtsein haben	sich fühlen als

Worum geht's?

1   Seit wann ist Meral klar, daß sie Türkin ist?

2   Warum nimmt Meral nicht an Wahlen in Deutschland teil? Wäre sie dazu berechtigt? Warum?

3   Welche politischen Ziele verfolgt Meral?

Was sagt ihr dazu?

1   Ist Meral eine türkische Nationalistin?

2   Ist Merals Engagement geeignet, den Deutschen zu schaden?

Übung macht den Meister!

Der Konjunktiv

Setze, was Meral sagt, in die indirekte Rede.

Beispiel: Meral sagt, in der Türkei sei es ihr egal gewesen . . .

Ich bin glücklich mit einem Ausländer verheiratet

Ich muß in die Türkei

Als die Erzieherin Steffi (33) 1984 den Türken Eyüp Sabri Tuna (36) heiratete, war der Ausländerhaß noch nicht so kraß. Aber jetzt sagt sie: „Wir leiden sehr darunter. An einer Tankstelle sagte jemand: ‚Heil Hitler! Seht bloß zu, daß ihr raus kommt!' Hab' ich mich geschämt! Eyüp ist ein wunderbarer Ehemann, von dem viele Deutsche lernen könnten: Ihm ist nichts wichtiger als unser drei Monate altes Töchterchen Dilara und ich. Nie würde er uns allein lassen. Mein Mann ist Sportlehrer, spricht perfekt Deutsch. Aber Aussicht auf Anstellung hat er keine. Mal jobbt er als Bademeister, mal als Trainer in Sportvereinen. Hier sieht er keine Zukunft. Wir werden in seine Heimat zurückgehen. Meine Ängste: Finden wir dort Freunde? Was ist mit Krankenkasse, Rentenversicherung?"

Ahmad lernte, mir zu vertrauen

Marlies (39) lernte ihren iranischen Mann, den Elektroinstallateur Ahmad Farshadi (40), vor 15 Jahren kennen. „Gleich nach der Hochzeit wurde alles ganz anders", sagt sie: „Ich merkte nun, was es bedeutet, mit einem Moslem verheiratet zu sein. Ich durfte nicht mehr mit meinen Freundinnen weggehen, geschweige denn allein. Er war doch mit den alten Traditionen stärker verhaftet, als ich dachte. Wir haben viel miteinander geredet, und mein Mann hat sich im Laufe unserer Ehe geändert. Er weiß, daß er mir voll vertrauen kann. Unsere Töchter (10 und 3) erziehen wir deutsch. Ahmad ist unseren Kindern ein zauberhafter Vater. Als sie noch Babys waren, hat er sie gewickelt und gefüttert. Ich finde es auch prima, daß er keinen Alkohol trinkt, im Gegensatz zu meinen früheren deutschen Freunden."

Nikolaus hat wundervollen Familiensinn

Evelyn Kandiloros (25) aus Ahrensburg ist seit fünf Jahren mit dem griechischen Schlosser Nikolaus (26) verheiratet. Sie haben einen dreijährigen Sohn. „Ich kam als Au-pair-Mädchen nach Piräus. Nikolaus war ein Nachbar, kam mit mir nach Deutschland. Nie hätte ich geglaubt, daß es Männer wie ihn gibt. So liebevoll, so treu, so familiär. Ich hab' schweres Rheuma, lag im Krankenhaus, war zwei Monate gelähmt. Jeden Tag, oft nach 16 Stunden Arbeit, besuchte er mich, machte mir Mut, hielt meine Hand. Seine Schwester kam extra aus Piräus, um für unseren kleinen Sohn Saamatis zu sorgen. Die Griechen halten innerhalb der Familie zusammen und sind immer fröhlich. Das genieße ich. Und sie lieben Kinder! Mit meiner Familie, Freunden und Nachbarn gab's nie Probleme. Ich machte allerdings gleich klar: Wer gegen Nikolaus ist, ist gegen mich!"

Bild der Frau, 16.5.89

Anmerkungen

die Erzieherin	eine pädagogische Mitarbeiterin im Kindergarten, Kinderheim, usw.
die Anstellung	der Arbeitsvertrag auf Dauer
die Rentenversicherung	die Versicherung für die Rente, das heißt für das Einkommen im Alter oder bei Berufs- oder Erwerbsunfähigkeit. (Die Rentenversicherung ist für die meisten Arbeitnehmer in der BRD verpflichtend, die Verwaltung und die Aufsicht darüber sind staatlich geregelt. Die Beiträge werden in der Regel zur Hälfte vom Arbeitnehmer und zur Hälfte vom Arbeitgeber bezahlt.)

Worum geht's?

Steffi und Eyüp

1 Fasse stichwortartig die Probleme dieses Ehepaares zusammen.

2 Welches Beispiel gibt Steffi von „Ausländerhaß"?

3 Warum hat Steffi Angst?

Evelyn und Nikolaus

1 Was erzählt Evelyn über ihren Mann und seine Schwester?

2 Was gefällt ihr an den Griechen?

Ahmad und Marlies

1 Was hat Marlies nach der Hochzeit festgestellt?

2 Was hatte Marlies nicht erwartet?

Übung macht den Meister!

Übung 1

Nebensätze mit daß

Bilde Satzgefüge mit *daß* im Nebensatz.

1 Steffi hat festgestellt: der Ausländerhaß ist krasser geworden.

2 Sie weiß: nie würde ihr Mann sie allein lassen.

3 Sie ist überzeugt: viele Deutsche könnten von ihrem Mann lernen.

4 Eyüp hofft: er bekommt eine feste Stelle.

5 – Evelyn hat nicht geglaubt: es gibt Männer wie Nikolaus.

6 Sie genießt: die Griechen halten in der Familie zusammen.

7 Sie weiß: sie lieben Kinder.

8 Sie machte allen Bekannten klar: jeder war gegen sie, wenn er gegen Nikolaus war.

9 Nach der Hochzeit merkte Marlies: es ist schwer, mit einem Moslem verheiratet zu sein.

10 Sie stellte fest: ihr Mann war der alten Tradition stark verhaftet.

11 Heute weiß sie: er hat gelernt, ihr zu vertrauen.

Übung 2

Verben mit präpositionalem Objekt

Ergänze:

1 Steffi leidet unter . . .

2 Sie freut sich nicht auf . . .

3 An der Tankstelle war sie entsetzt über . . .

4 Eyüp muß auf . . . verzichten

5 Evelyn glaubt an . . .

6 Sie ist begeistert von . . .

7 Sie bewundert die Griechen wegen . . .

8 Nikolaus' Schwester sorgte für . . .

9 Nach der Hochzeit wunderte sich Marlies über . . .

10 Sie war verheiratet mit . . .

Übung 3

Nebensätze mit Pronominaladverb

Ergänze:

1 Steffi und ihr Mann leiden sehr darunter, daß . . .

2 Steffi hat Angst davor, daß . . .

3 Steffi freut sich darüber, daß . . .

4 Eyüp hat keine Aussicht darauf, daß . . .

5 Evelyn freut sich darüber, daß . . .

6 Marlies freut sich darüber, daß . . .

7 Sie konnte sich zu Anfang nicht daran gewöhnen, daß . . .

8 Sie mußte sich damit abfinden, daß . . .

9 Der Ausländerhaß rührt daher, daß . . .

10 Einige Deutsche ärgern sich darüber, daß . . .

Von der Last, Deutscher zu sein

Die Bastion der deutschen Familie ist zerbröckelt, sicher nicht so ganz, sicher nicht so stark, wie es einseitige Soziologen darstellen; aber sicher auch stärker als in den romanischen Ländern. „Die Heimat", sie hat wohl die am ehesten noch bindende Kraft. Wenn einer hierzulande schon noch stolz sein will, dann ist er stolz darauf, vom Bodensee oder von der Waterkant zu kommen, aus dem Schwarzwald oder aus dem Rheinland zu stammen, ein Bayer oder ein Hansestädter zu sein.

Wenig Gemeinsames

Dann fehlt etwas. Das Wort „Vaterland" können wir kaum noch aussprechen. „Sterben für Bonn" wäre den meisten von uns lächerlich – was auch sein Gutes hat. Wir sind Weltbürger, Kosmopoliten, hervorragend in der Kenntnis fremder Sprachen, jenseits der Staatsgrenzen reisend wie sonst keiner.

Aber wenn wir darüber nachdenken, was es denn eigentlich heute bedeutet, Deutscher zu sein, was das meint, wo der Inhalt der Aussage ist, dann fällt uns als definierbares Gemeinsames nur die Geschichte ein, die Kultur und die Sprache. Lauter schwankende Grundlagen. Hitlers Erben sind wir, ob wir wollen oder nicht. Mozart, der Österreicher, und Kafka, der Tscheche, und viele andere „Kulturträger", um die wir mit der DDR konkurrieren, Luther, Schiller, Goethe,

eignen sich kaum als Träger bundesrepublikanischen Deutschbewußtseins. Und aus der gemeinsamen Sprache werden eben auch vorschnelle Schlüsse gezogen auf eine Gemeinsamkeit, die sich Ostdeutsche, Österreicher und Schweizer mit guten Gründen verbitten.

Kurioserweise wird die Frage der nationalen Identität nur von wenigen Deutschen als besonders drängend empfunden. Die meisten arrangieren sich: in der Familie, im Freundeskreis, in der Solidarität der Betriebs- oder Berufsgemeinschaft, in der Nachbarschaft. Und alle haben viele ausländische Freunde. Es ist uns beinahe egal, ob wir als Eskimos wieder auf die Welt kommen oder als Deutsche; um so mehr, als keiner von uns glaubt, noch einmal wieder „auf die Welt" zu kommen.

Wenn Wunschvorstellungen geäußert werden, läßt sich ein leichtes Pathos schwer vermeiden. Sei's drum: Deutsch sein bedeutet für uns, uns deutscher Kunst und Wissenschaft noch bewußt zu sein, unsere deutsche Sprache zu pflegen, unsere Familie nicht zu verlieren, unsere Heimat . . . da ist sogar „zu lieben" erlaubt, und hinzustreben auf jene „Vereinigten Staaten von Europa", in die wir mehr einbringen könnten als die immer wieder von uns geforderte D-Mark: zum Beispiel den, wenn auch sicher nicht ganz freiwilligen, Verzicht auf ein Nationalbewußtsein.

Rudolf Walter Leonhardt, *Die Zeit*, 2.9.83 (gekürzt)

Anmerkungen

die Bastion	eine stark befestigte Verteidigungsstellung
zerbröckeln	auseinandergehen, langsam kaputt gehen
schwanken	sich leicht hin und her bewegen (hier also: unsicher sein)
sich verbitten	nicht erlauben, sich nicht gefallen lassen
vorschnell	unüberlegt
auf . . . streben	für . . . kämpfen
fordern	verlangen

Worum geht's?

1 Wie hat sich das Familiengefühl in Deutschland verändert?

2 Was hat in Deutschland noch am ehesten bindende Kraft?

3 Wie wichtig sind Schiller und Goethe für das „Deutschbewußtsein" in der BRD?

4 Welchen Stellenwert hat die Frage der nationalen Identität für die meisten Deutschen?

5 Liste die deutschen Wunschvorstellungen auf, die der Verfasser nennt.

Erweitere deine Sprachkenntnisse!

Aufgabe 1

Suche im Text die Ausdrücke, die den folgenden englischen Ausdrücken entsprechen:

1   Then there's something missing
2   which also has its positive side
3   shaky foundations
4   oddly enough
5   it hardly makes any difference to us
6   if people in this country claim to be proud of anything
7   particularly urgent
8   whether we like it or not
9   most of them adapt
10 however that may be.

Aufgabe 2

Wortschatzerweiterung

Vervollständige folgende Tabelle mit Hilfe eines Lexikons:

Verb	Substantiv	Adjektiv
konkurrieren		
	die Bedeutung	
pflegen		
	der Verzicht	
	der Schluß	
	das Erbe	
verlieren		
sich (+ Gen) bewußt sein	das Bewußtsein	
		lächerlich
	die Kenntnis	
		definierbar
sich eignen		
	die Identität	
empfinden		
glauben		
lieben		

Übung macht den Meister!

Übung 1

Ergänze:

Als Deutscher hängt man nicht so sehr am Staat oder am Vaterland, sondern an der _____.
Es fällt schwer zu sagen, was man _____ „deutsch" versteht, denn viele sogenannte Träger
der deutschen _____ haben nichts mit der _____ Deutschland zu tun. Auf der anderen
Seite sprechen sie _____ Sprache, obwohl sie nicht alle geborene _____ waren. Kafka
war z.B. _____, aber er hat seine Romane _____ Deutsch geschrieben. Die _____
begrüßen ein vereinigtes Europa: sie können nicht nur Geld dazu beitragen, _____ auch
die Bereitschaft, auf ein Nationalbewußtsein zu verzichten.

Übung 2

Vervollständige folgende Sätze:

1 Ostdeutsche, Schweizer und Österreicher betrachten sich nicht als Deutsche, bloß weil
   sie . . .

2 Die Deutschen können mehr als . . . zu Europa beitragen.

3 Zu der Frage, was es bedeutet, Deutscher zu sein, fällt den Deutschen keine Anwort ein,
   weil . . .

4 Man kann die Deutschen als „Weltbürger" bezeichnen, weil sie . . .

5 Die DDR und die BRD konkurrieren um . . .

6 Die Deutschen eignen sich als Träger eines europäischen Bewußtseins, weil . . .

Kultur pur

Kultur – kein Mensch weiß genau, was das ist. Die einen schleppen es auf Reisen mit sich herum (im Kultur-beutel), die anderen achten besonders bei Tisch darauf (Eßkultur). Manche behaupten, es sei nur im Wald zu finden (Baumkultur), andere schwören, es in Reagenzgläsern züchten zu können (Bakterienkultur). Die einen ziehen sich dazu an (Opernkultur), die anderen aus (Freikörperkultur). Es gibt Menschen, die lernen es nie (Kulturmuffel). Und andere, die einen Beruf daraus gemacht haben (Kultus- und Kulturminister).

„Kultur ist der Gegensatz zur Natur", hat ein schlauer Mensch einmal gesagt. Wenn dem so ist, müßte alles, was wir Menschen mit der Natur tun, irgendetwas mit Kultur zu tun haben (Erschrecktes Zusammenzucken im Gedenken an die Rheinvergiftung und die Braunkohlenschwaden über Berlin).

Kultur ist, was kurz nach Mitternacht im Fernsehen und in der Zeitung vor dem „Vermischten" kommt (und nur von den „Kulturträgern" verstanden wird).

Kultur ist, was man nicht lernen kann. Zeichnen kann man lernen, ein Musikinstrument, sogar Singen (obwohl einige Musiklehrer hier zu Einschränkungen neigen). Aber Kultur? Wann hat der Mensch Kultur? Da kann einer noch so schön Geige spielen, wenn er nicht weiß, wie man eine Schnecke ißt oder daß man Kartoffeln nie mit dem Messer schneiden darf . . . aber, wo kämen wir denn da hin?

Generationen von klugen Leuten haben sich bemüht, zu definieren, was „Kultur" sei. Wir fassen einfach alles darunter, was sich auf dem berühmter kulturellen Sektor über die Sektorengrenze – die politische – hinweg tut. Ach ja, die politische Kultur – aber das ist ein „weites Feld". Sagte eine kulturelle Größe – Theodor Fontane.

Volker Thomas, *Wir im Ost und West*, 4/1987

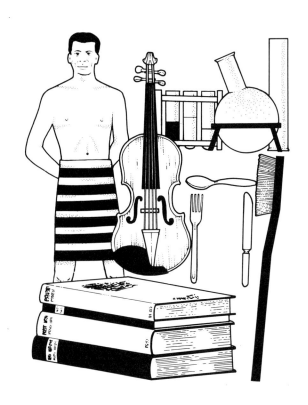

Erweitere deine Sprachkenntnisse!

Suche im Wörterbuch entsprechende englische Definitionen für:

a   Kultusminister   c   Freikörperkultur

b   Kulturbeutel   d   Bakterienkultur.

Was steckt dahinter?

1   Welche Definition von „Kultur" entspricht deiner Meinung nach am genauesten der Bedeutung des Wortes:

     a   der Gegensatz zur Natur

     b   was kurz nach Mitternacht im Fernsehen kommt und nur von den „Kulturträgern" verstanden wird

     c   was man nicht lernen kann.

Versucht evtl. zunächst zu erklären, weswegen ihr der jeweiligen Definition nicht zustimmen würdet.

2   Für welche Textsorte ist der Text ein Beispiel? Begründe deine Auffassung.

Die ganze Hymne soll es sein

Hessen will Schülern vollständiges Deutschlandlied verordnen

Von unserem Korrespondenten Richard Meng

WIESBADEN, 7. März. Hessens Schülerinnen und Schüler sollen bald wieder alle drei Strophen des „Deutschlandliedes" im Unterricht lernen. Kultusminister Christean Wagner (CDU) legte dem Landeselternbeirat am Dienstag einen Erlaß-Entwurf zur Beratung vor, in dem es heißt, „spätestens bis zum 9. Schuljahr" sollte den Kindern Text und Melodie bekannt sein. Sie seien „darüber zu unterrichten", daß die dritte Strophe „der Teil" der Nationalhymne sei, der „bei staatlichen Anlässen gesungen wird". Seit 1976 gilt in Hessen ein Erlaß, der nur die dritte Strophe des Deutschlandlieds als National-

hymne definierte und vorsieht, daß Text und Melodie bis zum 6. Schuljahr bekannt sein sollten.

Im Vorwort zu einer schon fertiggestellten schriftlichen „Handreichung" für die Lehrer schreibt Wagner, mit dem neuen Erlaß habe er „die Weisung zu einer fast selbstverständlichen Pflicht gegeben". Es sei „Ausdruck nationalen Selbstverständnisses, wenn Schülerinnen und Schüler bei feierlichen politischen und sportlichen Anlässen unsere Nationalhymne mitsingen können".

Zur umstrittenen ersten Strophe („Deutschland, Deutschland über alles . . .") heißt es, sie sei in ihrer ursprünglichen

Bedeutung Ausdruck dafür, daß „der Patriot" sein Vaterland „über alles" liebe – „vergleichbar der Liebe eines Kindes zu seiner Mutter".

Die Nationalsozialisten hätten das Deutschlandlied „mißbraucht und ins Gegenteil verkehrt". „Vor allem" die erste Strophe sei „national überheblich umgedeutet" worden. Wer bereit sei, das Lied „im Zusammenhang mit seinem Entstehungsprozeß zu sehen", sei aber in der Lage, „seinem Text gerecht zu werden".

SPD und Grüne kritisierten den Erlaß-Entwurf als „weiteren Schritt in die rechtsnationale Ecke" und „hohlen Patriotismus".

Frankfurter Rundschau, 8.3.89

HEINRICH HOFFMANN VON FALLERSLEBEN

Das Lied der Deutschen

Deutschland, Deutschland über alles,
Über alles in der Welt,
Wenn es stets zum Schutz und Trutze
Brüderlich zusammenhält,
Von der Maas bis an die Memel,
Von der Etsch bis an den Belt –
Deutschland, Deutschland über alles,
Über alles in der Welt!

Deutsche Frauen, deutsche Treue,
Deutscher Wein und deutscher Sang
Sollen in der Welt behalten
Ihren alten schönen Klang,
Uns zu edler Tat begeistern
Unser ganzes Leben lang –
Deutsche Frauen, deutsche Treue,
Deutscher Wein und deutscher Sang!

Einigkeit und Recht und Freiheit
Für das deutsche Vaterland!
Danach laßt uns alle streben
Brüderlich mit Herz und Hand!
Einigkeit und Recht und Freiheit
Sind des Glückes Unterpfand –
Blüh im Glanze dieses Glückes,
Blühe, deutsches Vaterland!

JOHANNES R. BECHER

Nationalhymne der Deutschen
Demokratischen Republik

Auferstanden aus Ruinen
Und der Zukunft zugewandt,
Laß uns dir zum Guten dienen,
Deutschland, einig Vaterland.
Alte Not gilt es zu zwingen,
Und wir zwingen sie vereint,
Denn es muß uns doch gelingen,
Daß die Sonne schön wie nie
Über Deutschland scheint.

Glück und Friede sei beschieden
Deutschland, unsrem Vaterland!
Alle Welt sehnt sich nach Frieden,
Reicht den Völkern eure Hand.
Wenn wir brüderlich uns einen,
Schlagen wir des Volkes Feind.
Laßt das Licht des Friedens scheinen,
Daß nie eine Mutter mehr
Ihren Sohn beweint!

Laßt uns pflügen, laßt uns bauen,
Lernt und schafft wie nie zuvor,
Und der eignen Kraft vertrauend
Steigt ein frei Geschlecht empor.
Deutsche Jugend, bestes Streben
Unsres Volks in dir vereint,
Wirst du Deutschlands neues Leben,
Und die Sonne schön wie nie
Über Deutschland scheint.

Bei der Fußball-WM in Italien: Die deutsche Mannschaft singt die Nationalhymne.

Anmerkungen

der Erlaß	die Verordnung der Regierung
der Anlaß	die Gelegenheit, z.B. Veranstaltung usw.
das Unterpfand	die Garantie
der Landeselternbeirat	eine Versammlung gewählter Vertreter der Eltern, die im Bereich von Schule und Erziehung ein Mitspracherecht hat
der Trutz	(archaisch) vergleiche „trotzen", „trotz" – Widerstand leisten
zwingen	(hier) bezwingen, überwinden

Laut Grundgesetz der Bundesrepublik Deutschland gehören Kultur und Erziehung in den Kompetenzbereich der Bundesländer. Es gibt also keinen Kultusminister in Bonn. Wichtige Vereinbarungen, die alle Länder betreffen, werden in der Kultusministerkonferenz (KMK) getroffen.

Worum geht's?

1 Lies den ersten Absatz des Artikels, dann die dritte Strophe des Deutschlandlieds. Erkläre mit eigenen Worten, wann diese Strophe gesungen wird.

2 Lies jetzt den übrigen Artikel, dann die erste Strophe des Liedes. Versuche, aus den ersten beiden Zeilen *einen* Satz zu bilden, der die These des hessischen Kultusministers Wagner unterstützt. Wie kann diese Strophe bzw. wie können diese Zeilen umgedeutet werden?

3 Lies die zweite Strophe des Liedes. Wie könnte man die wichtigsten Punkte mit je einem Wort zusammenfassen? Welche Gesellschaftsschicht könnte in dieser Strophe am ehesten ihre Lebensvorstellungen dargestellt sehen?

4 Fasse in je einem einfachen Satz den Inhalt der einzelnen Strophen zusammen. (Zur Vorbereitung kannst du jeweils die wichtigsten, aber möglichst wenige (!) Stichwörter notieren.)

Was steckt dahinter? E/K/P

1 In der DDR ist der Text der Hymne über zwanzig Jahre bei offiziellen Anlässen verboten gewesen. Nun will die Regierung ihn wieder in den Medien senden (Meldung: Reuter, Januar 1990). Kannst du erklären, warum der Text der Hymne unerwünscht war? (Denke an Kapitel 7).

2 Könnt ihr in der DDR-Hymne Hinweise auf die historische Situation ihrer Entstehungszeit (nach 1945) erkennen?

3 Könnt ihr auch im „Deutschlandlied" Hinweise auf seine Entstehungszeit (1841) erkennen? (Falls ihr in der Klasse nicht zu Ergebnissen kommt, vertagt die Frage und informiert euch in einem Nachschlagewerk oder einem Geschichtsbuch über Deutschland seit 1815. Eine gute Gelegenheit für ein Kurzreferat!)

Was sagt ihr dazu?

1 Muß man eine Nationalhymne „im Zusammenhang mit ihrem Entstehungsprozeß" sehen (siehe Artikel)?

2 Findet ihr es heute noch angebracht, daß man seine Nationalhymne lernen bzw. singen soll? Bei welchen Anlässen sollte man die Nationalhymne singen, bei welchen darauf verzichten? (Denkt auch an die Situation in Großbritannien; wie verhält es sich mit Wales, Irland, Schottland?)

Deutscher sein – Schüler nehmen dazu Stellung

Worum geht's?

Höre dir zunächst die Einleitung des folgenden Interviews an, das im Sommer 1989 entstanden ist. Versuche dir zu merken, welche Themenschwerpunkte die Aussagen der Sprecher haben.

1 Welches Stichwort haben die Sprecher als Sprechimpuls erhalten?
   Freya   a Deutschland, Deutschland über alles . . .
   Catrin   b Deutschland den Deutschen – Ausländer sind Gäste
   Andreas   c Heimat

2 Welche Antworten (je zwei) gehören zu den vorgegebenen Stichwörtern?
   a Spießer, Verbohrtheit, Stolz, Flucht, Heimatfilm.
   b neue Rechtsbewegung unter Jugendlichen aus Frustration über steigende Arbeitslosigkeit
   c Radikale Thesen sind schon immer dazu verwendet worden, ernsthafte Lösungen „zu ersetzen".
   d Nationalsozialismus, Wahlerfolge der Republikaner.
   e Unsere Menschlichkeit sollte irrationale Gefühle übertreffen.
   f Wohlfühlen, Lebensgewohnheiten.
   Lies nun die folgenden Arbeitsaufträge und bereite dich darauf vor, Notizen (nur Stichwörter, keine Sätze!) dazu zu machen. Höre dann das ganze Interview.

3 Wie definiert Andreas und wie Catrin „Heimat"?

4 Welche Kritik formulieren Catrin und Freya an ihrem Heimatland? Und was schätzen sie daran?

5 Was versteht Andreas unter „Patriotismus"?

6 Wie schätzen die Sprecherinnen die aktuelle Bedeutung des Rechtsradikalismus ein?

7 Wie sehen die Sprecher die DDR?

Was sagt ihr dazu? G/K

Diskutiert die folgenden Aufgaben zunächst im Unterricht. Teilt eure Klasse in drei Gruppen, von der jede für eine Aufgabe Notizen zum Diskussionsverlauf macht. Fertigt anschließend anhand eurer Notizen ein Ergebnisprotokoll der jeweiligen Diskussion an.

1 Versucht zu erklären, warum Freya auf das Stichwort „Deutschland, Deutschland über alles" mit dem Hinweis auf die Wahlerfolge der rechtsradikalen Republikaner (1989) reagiert.

2 Erläutert, warum Catrin im Gegensatz zu Andreas glaubt, daß Patriotismus in Deutschland nicht dasselbe ist wie in Frankreich oder Großbritannien. Welche der beiden Auffassungen haltet ihr für sinnvoller? Gibt es dabei eventuell einen Unterschied zwischen dem Blick in die Vergangenheit und dem in die Zukunft?

3 Warum wissen die Sprecher so wenig über die DDR? Wie beurteilt ihr den Informationsmangel?

Laßt uns bloß damit in Ruhe

Die Geßners könnte man lebenslänglich nie einer patriotischen Haltung verdächtigen, das stand ein für allemal fest. Beide waren zu stark und für immer vorgeschädigt, aufgewachsen in der Nazi Zeit, und das führte Greta auch jeweils als tiefwurzelndes Motiv an, wenn sie, absolut freiwillig, dann und wann verkündete: Für alles politisch Aktive, gar für PARTEI-Mitgliedschaften, aber sogar auch schon für harmlosere Sachen wie Wählerinitiativen oder wirklich sympathische GRÜNE LISTEN sind Menschen wie wir einfach total verloren. Wir sind superkritisch, o ja. Pessimistisch. Allergisch. Gruppenuntauglich in alle Ewigkeit. Laßt uns bloß damit in Ruhe. Sie litten beide wahrhaftig im Sinn von Kränkung und Ohnmachtsempörung unter so Vorzeichen wie aussterbenden Vogelarten, vergifteten Bäumen, unter der architektonischen Mißhandlung von Städten und Landschaften, sie litten sehr, ästhetisch, ökologisch, politisch. Sie nahmen durchaus teil: als trauernde, zornige, unbestechliche Zuschauer. Sie wären gewiß nie als Opfer von Politikergeschwätz zu vereinnahmen. Von Heuchlern. Machtbesessenen Strebern, STADTVÄTERN. Der Anblick des Kernkraftwerks in der wie vorgewarnten stillen gelblichen Riedlandschaft setzte ihnen zu. Aber auf keinem ihrer Renault-Modelle fuhren sie ATOMKRAFT NEIN DANKE oder ähnliche Aussagen über ihre Gesinnung durch die bedrohte Gegend.

Gabriele Wohmann, *Deutschlandlied*, Luchterhand Verlag 1987 (gekürzt)

Anmerkungen

die Wählerinitiative	ein Zusammenschluß von Bürgern vor einer Parlamentswahl; im Vergleich zu Parteien locker und meist lokal begrenzt
gruppenuntauglich	nicht geeignet als Mitglied einer Gruppe
Ohnmachtsempörung	(ungewöhnlicher Ausdruck) ohnmächtige Empörung, das heißt Ärger aus dem Gefühl heraus, selbst nicht wirksam handeln zu können
unbestechlich	objektiv und kritisch
jdn. vereinnahmen	(hier) jdn. um jeden Preis auf seine Seite ziehen
der machtbesessene Streber	eine Person, die so sehr versucht, Macht zu bekommen, als ob sie von bösen Geistern beeinflußt würde
ATOMKRAFT NEIN DANKE	Spruch, häufig als Aufkleber verwendet

Was steckt dahinter?

1. Welchen Eindruck wollen die Geßners auf jeden Fall vermeiden?

2. Wofür sind die Geßners auf keinen Fall zu gewinnen? Legt eine Stichwortliste an.

3. Wie begründet Greta Geßner ihre Einstellung?

4. Was nehmen die Geßners vom Leben der Gegenwart zur Kenntnis? Legt eine Stichwortliste an.

5. Mit welchen Gefühlen erleben sie die Gegenwart?

6. Wie beurteilt die Erzählerin das Verhalten der Geßners? Versucht zu erklären, wie sie ihr Urteil vermittelt.

Was sagt ihr dazu?

1. Könnt ihr die Geßners verstehen?

2. Würdet ihr, wie die Geßners, auf keinen Fall „patriotisch" sein wollen? Erklärt, was der Begriff für euch bedeutet, bevor ihr eure Auffassungen diskutiert.

Die hätten doch früher kommen können!

Es gehört zu den ganz großen Nachkriegsleistungen, daß in dem zerbombten und besiegten Schlauch zwischen Flensburg und Reit im Winkel zwölf Millionen Vertriebene und Flüchtlinge aus dem Osten Deutschlands aufgenommen werden konnten. Damals herrschten Armut und Arbeitslosigkeit. Und es ging trotzdem. Dazu kamen später mit dem Wirtschaftswunder noch 4,5 Millionen Gastarbeiter. Es waren die vielen arbeitswilligen Menschen, die dieses Land nach vorn gebracht haben.

Die jetzt kommen, haben lange warten müssen. Drei Jahrzehnte lang „gab es in Polen offiziell keine Deutschen mehr". Und nicht nur in der Sowjetunion galt der Wunsch nach Ausreise als Verrat. Die politischen Verhältnisse haben sich geändert. Jetzt erst dürfen viele, die schon lange wollten.

Hier sind sie vor allem Landsleute, die oft unter schwierigsten Lebensbedingungen überleben mußten. Hier haben sie die Chance, sich durch Fleiß und Tüchtigkeit zu entfalten. Ihr Leben zu leben, von dem sie lange geträumt haben.

Und wenn hier schon Menschen nur nach ihrer Nützlichkeit abgeklopft werden: Besonders die Spätaussiedler aus der Sowjetunion bringen viele Kleinkinder mit. Sie werden uns helfen, das Ungleichgewicht zwischen jung und alt zu verbessern.

Im Generationenvertrag müssen immer weniger Arbeitskräfte immer mehr alten Mitbürgern die Rente verdienen. Das kann sich gerade in den Jahren unserer von der Pille geknickten schwächsten Jahrgänge segensreich auswirken.

Zunächst kosten die Spätaussiedler Unsummen von Geld: Rente für die Alten, Kindergeld für die Jungen, zinsverbilligte Darlehen, Wohnungsbeihilfen, notfalls Arbeitslosenunterstützung oder Fürsorge. 200.000 Spätaussiedler pro Jahr, und das bis Mitte „Neunzig". Der Steuerzahler wird zur Kasse gebeten – für die verspäteten Landsleute, denen hier erst Deutsch beigebracht werden muß.

Da jault ein ganzes Volk auf, weil es vor Ort helfen soll. Dieselben Leute kriegen feuchte Augen, wenn sie im bequemen Fernsehsessel fremde Not mit ansehen müssen. Und noch mehr bei dem Gedanken, wie sehr die Mark helfen wird, die sie am nächsten Tag spenden werden. Alles Lob für Natur-, Tier-und Pflanzenfreunde; nichts gegen Auto- und Reiselust. Nichts gegen den fröhlichen Umtrunk und unsere gepolsterte Selbstzufriedenheit. Irgendwo muß sich doch etwas anrühren lassen, eine Spur von Solidarität, eine Spur von Mitgefühl: Andere Deutsche sind schlechter dran, andere Deutsche waren schlechter dran.

Klaus Borde, *Politische Zeitung,* 56/März 1989

Anmerkungen

der/die Vertriebene	die Person, die mit Gewalt dazu gebracht wurde, ihre Heimat zu verlassen
der Flüchtling	die Person, die vor einer Bedrohung (oft: fremde Armee) flieht
das Wirtschaftswunder	(geläufiger Ausdruck für:) die wirtschaftliche Entwicklung der BRD nach dem Zweiten Weltkrieg. „Wunder" sagt aus, daß die Entwicklung so schnell aufwärts verlaufen ist, als ob sie nur als übernatürlich, nicht aber als Ergebnis der Arbeit von Menschen gedeutet werden könne.
abklopfen	untersuchen, betrachten
der Generationenvertrag	in der Rentenversicherung muß die Generation der Kinder für die Generation der Eltern Geld aufbringen
(von der Pille geknickt) die Pille	(umgangssprachlich) Mittel zur Empfängnisverhütung
knicken	plötzlich eine andere Richtung geben. Der Begriff zielt auf die plötzliche Abwärtsbewegung der Geburtenrate, die in Graphiken als „Knick" dargestellt werden kann.
die Unsumme	eine sehr große Summe
das Darlehen	der Kredit, bes. für (Wohn)-Eigentum
jaulen	vor Schmerz laut schreien (eigentlich jault der Hund)

Was steckt dahinter?

1 Was ist mit dem „Schlauch zwischen Flensburg und Reit im Winkel" gemeint? Wie läßt sich die verwendete Formulierung erklären?

2 Von welchen Menschen handelt der erste Abschnitt, von welchen handeln die folgenden?

3 Unter welchen beiden Gesichtspunkten wird die Gruppe in den Abschnitten 4 und 5 gesehen?

4 Welche Stilmittel benützt der Verfasser im letzten Abschnitt, um seiner Darstellung Nachdruck zu verleihen?

5 Wie charakterisiert der Verfasser das deutsche Volk (BRD) des Jahres 1989?

6 Zu welcher Textsorte gehört dieser Text? Welche Merkmale für die Zuordnung gibt es?

7 Welchen Appell formuliert der Verfasser?

8 Wie ist der Appell des Verfassers angesichts der Entwicklungen in der DDR ab Herbst 1989 zu sehen? (vergleiche „Leben ohne Mauer", siehe Seite 129)

Was sagst du dazu?

1 Wie beurteilst du nach deinen Informationen das Nationalbewußtsein in Deutschland?

2 Ist die in Deutschland häufige Auffassung sinnvoll, in einem vereinigten Europa werde Nationalbewußtsein überflüssig?

3 Hältst du das Ziel eines vereinigten Europas für erstrebenswert und/oder realistisch?

4 Sollte man nationalistische Parteien (z.B. Republikaner, National Front) verbieten?

5 „Andere Länder, andere Sitten". Sollte man nationale oder regionale Sitten und Gebräuche pflegen, oder sollte man sie im Interesse der Völkerverständigung lieber abschaffen?